velhos são os outros

velhos são os outros

andréa pachá

intrinseca

Copyright © 2018 by Andréa Maciel Pachá

PREPARAÇÃO
Kathia Ferreira

REVISÃO
Raphani Margiotta

CAPA, PROJETO GRÁFICO E DIAGRAMAÇÃO
Angelo Bottino
Fernanda Mello

FOTO DE CAPA
Fox Photos / Getty Images

CIP-BRASIL. CATALOGAÇÃO NA PUBLICAÇÃO
SINDICATO NACIONAL DOS EDITORES DE LIVROS, RJ

P116v

    Pachá, Andréa, 1964-
        Velhos são os outros / Andréa Pachá. – 1. ed. –
    Rio de Janeiro : Intrínseca, 2018.
    208 p. ; 23 cm.

    ISBN 978-85-510-0409-8

    1. Crônicas brasileiras. I. Título.

18-51257   CDD: 869.8
                             CDU: 82-94(81)

[2018]
Todos os direitos desta edição reservados à
EDITORA INTRÍNSECA LTDA.
Av. das Américas, 500, bloco 12, sala 303
22640-904 – Barra da Tijuca
Rio de Janeiro – RJ
Tel./Fax: (21) 3206-7400
www.intrinseca.com.br

*Léa e Miguel, meus velhos,
João e Kike, meus meninos,
pelo amor de todo o tempo.*

sumário

VELHOS SÃO OS OUTROS **9**

Um dia chega ao fim **15**

Ausência em carne viva **21**

Francisca, 81 **27**

Samba e amor a vida inteira **29**

Não conte para ele **35**

Senhora do próprio destino **41**

Cleo, 80 **47**

Todas as cartas de amor são ridículas **49**

A gente envelhece de repente **55**

Quem pariu Mateus **59**

João, 82 **65**

O que o tempo não ensina **67**

O que queremos são certezas **73**

Então, eu não existo? **79**

Elzinha, 74 **83**

Sem tempo para dizer adeus **85**
Águia não vive em gaiola **91**
Vingança é veneno **95**

Lourenço, 83 **101**

Tudo está bem quando acaba bem **103**
Mas louco é quem me diz **109**
Somos memória **115**

Catarina, 85 **121**

Coronel velho de guerra **123**
Fantasmas, medos e escolhas **129**
Paixão a crédito **135**

Heraldo, 79 **141**

Às vezes dá certo **143**
Vivendo e aprendendo **149**
Arrogância anacrônica **155**

Célia, 84 **163**

Dança da solidão **165**
Direito de envelhecer **171**
Eu não posso morrer **175**

Eurico, 87 **179**

Ela me faz tão bem **181**
Viver é muito bom **187**

Stela, 67 **191**

TESTAMENTO **193**
PARA DEPOIS DO DEPOIS **197**

Velhos são os outros

Viver em uma sociedade que incensa a juventude e nega a doença, a infelicidade, a deterioração e até mesmo a morte não é exatamente a melhor maneira de assimilar a passagem do tempo e os impactos que ela produz. Não desejamos morrer jovens, naturalmente. No entanto, a maior longevidade possibilitada pela ciência nas últimas décadas tem introduzido conflitos complexos no dia a dia. Problemas que, na perspectiva da Justiça, vão desde o abandono material e afetivo de familiares até a disputa de curatela entre irmãos, passando pela escolha de tratamentos interventivos e pela liberdade para casar-se ou namorar. A excessiva judicialização da vida tem nos enredado em um fenômeno de infantilização emocional. A idealização de um juiz herói, capaz de estancar nosso desamparo, é na maior parte das vezes frustrada pela realidade.

Depois de quase duas décadas decidindo conflitos de divórcios, pensão, guarda e convivência familiar em uma Vara de Família, fui transferida para outro Juízo, responsável pelos julgamentos de inventários, testamentos e curatelas. Não foi *uma mudança fácil. As mudanças nunca são. Mesmo aquelas que programamos, idealizamos. Aceitar transformações é um treino ao qual me dedico com relativo sucesso, mas como conviver com os problemas que chegam com a morte e o envelhecimento? Como representar uma juíza imparcial quando eu mesma experimento as angústias e os medos, cercada de afetos rumando para as curvas finais da vida?*

A velhice, um futuro distante e improvável, insiste em se mostrar naquilo que tem de pior. São problemas decorrentes do abandono, do desamor, do esquecimento, que se transformam em processos e me assombram noite e dia. Aprendi cedo que somos capazes de nos resignar com a morte, porque há nela um princípio inegociável de igualdade. Morremos todos. Não há luta de classes, de gênero, de religião que se sobreponha a tal realidade. A velhice, no entanto, não é igual. Muito menos coroa algum princípio de justiça.

Nascemos e morremos sozinhos. Eis a inescapável condição humana que nos liberta e nos aprisiona. Com ou sem a nossa autorização ou desejo, o tempo age, o corpo gasta, os neurônios se desconectam – ainda que sem rugas aparentes, domadas pela tecnologia e pelas intervenções médicas e estéticas –, e caminhamos para o terreno desconhecido do fim. Um caminhar lento, às vezes imperceptível, mas que compreende de forma definitiva o princípio da igualdade que nos irmana e identifica.

O constante paradoxo com o qual me defronto implica garantir a autonomia dos velhos e, ao mesmo tempo, atentar para que, em razão de sua vulnerabilidade e carência, eles não sejam compelidos a fazer ou deixar de fazer alguma coisa. Embora envelheçamos desde o dia da concepção, não nos damos conta do processo natural e acabamos por rejeitá-lo, invisibilizando a velhice e associando-a à perda de capacidade, de vontade, de desejos. Ao fim dos projetos e sonhos. Quando comecei a trabalhar com processos relacionados ao envelhecimento e à morte, percebi não só quanto eu havia envelhecido, mas também quanto estava cercada de velhos por todos os lados. Familiares, amigos, ídolos, referências éticas e estéticas. Todos com mais de 70 anos. Meu olhar viciado continuava enxergando os outros com, no máximo, meio século de vida, tempo esse que eu mesma já vivi e ultrapassei.

Sem saber como constatar o tempo do envelhecimento e tentando compreendê-lo sob a lente da objetividade, durante um café da manhã, curiosa, perguntei à minha mãe:

– Quando é que você se percebeu velha?

Aos 77 anos, e surpresa com a questão, ela encerrou a conversa:

– Nunca! Eu ainda não sou velha!

Tentando amenizar a pergunta e fazer com que ela pudesse responder sem preconceito à minha inquietação, prossegui:

– Mas, mãe... Falo da velhice como idade, não como sentimento, e sim como um dado etário. A gente é criança e torce pra virar adolescente logo. Daí nos sentimos jovens, e em algum momento percebemos que somos adultos. Então vem a velhice.

– Andréa – ela ponderou –, queremos ser adolescentes para experimentar as novidades que a vida traz. Queremos amadurecer para ter autonomia, segurança, liberdade. Mas quem quer envelhecer? Depois que a velhice chega, o que vem?

A pergunta foi seguida de silêncio. Sem resposta, diante do desconhecido e sentindo certa melancolia, entendi que o *tempo nos ignora. Deixa marcas e acúmulo de passado. É esse acervo que nos define como velhos.*

Para a lei brasileira, idoso é quem tem mais de 60 anos. Nenhuma outra classificação etária é tão abrangente e tão desigual. Tanto que já promulgaram nova lei, estabelecendo que os mais velhos ainda, com mais de 80, devem ser atendidos com prioridade dentro da prioridade. Nenhuma norma muda a realidade, e a menos que se torne efetiva residirá apenas na prateleira das boas intenções.

Para diversas tribos e civilizações, a idade era sinônimo de experiência, poder, sabedoria. Na sociedade do capital e do consumo, o velho só será respeitado enquanto integrar o sistema de produção e gerar renda. Assim, na contemporaneidade, pressionados pela segregação, os mais velhos devem se recusar a envelhecer, adoecer e morrer.

Iluminar a velhice, de forma clara e corajosa, é fundamental. João Gilberto, em sussurro afinado, me ensinou, pela letra de Ary Barroso, que "a vida é uma escola, onde a gente precisa aprender a ciência de viver para não sofrer". Norberto Bobbio, filósofo italiano, esclarece que "o acaso explica muito pouco, a fatalidade explica demais. Só a crença na vontade livre, se é que a liberdade de querer não é também uma ilusão, nos ajuda a acreditar que somos donos de nossa própria vida".

Aos poucos, fui percebendo que aquela realidade de afetos, ódios, solidariedade, ressentimento, humor, perdas e aceitação que eu via durante as audiências envolvendo os idosos pouco ou nada diferia de tantas outras realidades que nos acompanham existência afora. Lentamente, e sem que eu percebesse, a angústia e a sensação de impotência que eu sentia foram cedendo espaço à escuta cuidadosa. Esqueci o medo e me vi, atenta, assimilando sentimentos, emoções e até projetos nascidos das vozes das inúmeras pessoas que passam pelas audiências que conduzo. Me vi, também, atenta às muitas outras velhices que, desprovidas de renda ou patrimônio, nem sequer chegam à Justiça.

Essas vozes de um passado anterior ao meu, e que de alguma forma me definem e me projetam, foram transformadas neste livro em histórias de ficção, em personagens imaginados e em depoimentos inventados que pacificaram minha alma e me fazem enxergar a velhice como um tempo potente, intenso e delicado.

Todos envelhecemos. E sempre haverá mais tempo adiante. Os que estão atrás não nos alcançarão, e nós não alcançaremos os que nos antecedem. Nessa estrada que não terminará enquanto existirmos, seguiremos, velhos, olhando para outros velhos e nos sentindo menos velhos. Depois da velhice vem mais vida. E mais vida. E mais vida.

Velhos são os outros. Até o fim.

Um dia chega ao fim

O casal era o retrato idealizado por boa parte dos apaixonados. Anita e Arthur, emoldurados pelos cabelos prateados, com as rugas necessárias para ostentar o tempo e a experiência vividos, nem de longe pareciam os velhos abatidos e desanimados que frequentavam as muitas audiências que eu conduzia. A postura firme, a vivacidade nos olhos e a tenacidade com que se manifestavam indicavam que a vida havia sido pródiga para os dois. Afortunadamente, nasceram ambos com as contas pagas, e dedicar a maior parte da vida à sobrevivência não fora um esforço. Mas por que um casal de velhinhos de capa de revista se decidia pelo divórcio aos 80 anos?

Duas décadas atrás, eram raros os divórcios entre os que conseguiam comemorar bodas de prata. Conviver um quarto de século ao lado de alguém era um troféu erguido entre missas, festas e pratos decorativos. Era um carimbo provando que as promessas de eternidade podem se concretizar. E os casais estáveis celebravam justamente para demonstrar que é possível assinar um documento que valha por toda a vida. Aos poucos, contudo, as rupturas foram ficando mais banais, e 25 anos de vida em comum já não é garantia de que apenas na morte cada um caminhará para um lado.

Eram mais corriqueiras também as submissões à acomodação. Permanecer junto não resultava somente de uma questão de escolha, mas, muitas vezes, vamos reconhecer, da falta de coragem. Acostuma-se a tudo na vida. Até aos piores hábitos. Não por outro motivo inúmeros casais optaram pelo convívio distante sob o mesmo teto, preservando, assim, o nome de casamento nesse tipo de união. Ruim com ele, pior sem ele foi um mantra para grande parte de uma geração.

Eu não pensava em sugerir ao casal à minha frente que engrossasse as fileiras dos casados infelizes. No entanto, não pude deixar de me surpreender com um pedido de divórcio consensual formulado por um homem de 83 anos e uma mulher de 79 em um momento em que se espera que envelheçam um cuidando do outro. Não tinham filhos juntos nem patrimônio a partilhar. A minha fantasia sobre eles impedira que os olhasse como pessoas, com direito a escolher a maneira como gostariam de experimentar aquela fase da vida. Somente quando Anita disse que pretendia voltar para a casa dela e cuidar dos netos percebi que a história que eu mentalmente desenhara sobre os dois não existia senão na minha imaginação. Eles estavam juntos por apenas três anos.

Anita enviuvara havia dez anos, e Arthur, seis. Os filhos dela já estavam casados e ela ainda trabalhava como funcionária pública, em um cargo de prestígio e visibilidade. Aposentara-se aos 70, um ano depois da viuvez, mas não abandonara as atividades profissionais. Como consultora, escolhia os projetos em que queria trabalhar. Sempre independente, estranhou quando os filhos começaram a tentar terceirizar os cuidados dos netos para ela. Não fazia o modelo "vovozinha", e se adorava o contato com as crianças preferia que fosse no seu tempo, de acordo com sua disponibilidade e disposição. As reclamações dos filhos eram constantes: que avó viúva não gostaria de ter os netos dormindo em sua casa uma vez por semana?

Não Anita. Saía com os amigos, trabalhava, viajava e não queria ser tratada como aposentada que só servia para tomar conta de netinhos. Se com os filhos não havia sido uma mãe tão presente, por que seria com os netos, se ainda tinha tanta coisa a fazer com a própria vida? Em uma sala de bate-papo na internet, Anita conheceu Arthur. Ela descobriu na rede uma maneira de treinar o seu francês, enferrujado. Surpreendeu-se com a fluência do empresário, que ela pensava ser parisiense.

As conversas sobre a cidade, a revelação de que se irmanavam na nacionalidade, as afinidades e inquietações típicas da idade e do envelhecimento, a dor do luto pela perda dos companheiros da vida, tudo isso ajudara na aproximação. Mas o decisivo fora a intimidade distante que se estabeleceu, jamais experimentada por nenhum dos dois. Viviam, na velhice, uma sensação comum na adolescência: a da descoberta das primeiras vezes. E com que alegria se entregavam a ela!

Anita acordava com poesias em seu e-mail e dormia sem vontade de desligar o computador. A distância e a tela funcionavam como uma proteção às avessas. Escrevia o que tinha vontade, sem pudor, sem medo de ser julgada. Sentia-se segura porque jamais imaginara a possibilidade de Arthur insistir em um encontro pessoal. Do francês para textos carinhosos e delicados em português foi um caminho natural. Passados oito meses, depois de pavimentada a estrada pelo cimento aderente das palavras, eles combinaram um cinema no meio da tarde.

Anita narrava sua história docemente. Arthur ouvia, sorrindo, como se revivesse o inusitado encontro. Acho que resolveram me contar tudo com tantos detalhes porque perceberam o meu desapontamento com o processo de separação. Era como se, em razão do tempo vivido, precisassem acalentar minha tristeza diante do fim do casamento deles. De repente, ele assumiu a narrativa e fez questão de contar que, ainda na fila da pipoca, roubou um beijo da namorada sem que ela apresentasse qualquer resistência.

Não foi um encontro fácil. Os dois precisaram resistir às intervenções dos filhos. Os dela desconfiavam do interesse de Arthur. Acreditavam que um velho, sozinho e rico, daria preferência a mulheres mais jovens. Nunca a uma senhora de cabelos brancos. Acostumados com a presença do pai à frente dos negócios e assombrados com as ausências mais frequentes depois do início do namoro, os filhos dele, inseguros, temiam perder a proteção patriarcal na qual sempre haviam se abrigado confortavelmente.

– Nós só ficamos juntos e conseguimos decidir porque os dois tinham dinheiro e autonomia, doutora. Aprendi com meu avô que quem paga é quem manda. E não é que ele tinha razão? – pontificou Arthur.

O pedido de casamento, amplificado pelo microfone no palco da festa em que se celebravam os 80 anos de Arthur, foi irresistível para Anita. Mais próximos, teriam mais tempo para se dedicar um ao outro.

– A senhora imagina uma mulher se casando de novo aos 76 anos, doutora? Eu era uma adolescente. Nem parecia que já tinha vivido tanta vida até ali.

Como não havia nenhum sinal de ressentimento ou rancor entre eles, eu me permiti perguntar se não era o caso de reavaliar a decisão.

– É tão difícil encontrar alguém para compartilhar essa fase da vida. Vocês não acham que deviam pensar um pouco mais?

Anita resolveu abreviar minha ansiedade:

– A senhora é jovem, doutora. Um dia vai entender. Eu tive e tenho muita sorte na vida. Sempre fui dona das minhas escolhas. Nós somos e vamos continuar sendo amigos, mas viver junto não funcionou.

Arthur emendou:

– Velho tem muita mania, sabe, Excelência. Tanto ela quanto eu concluímos que não é bom do jeito que está. Engraçado é que os filhos, que criaram tanto caso no casamento, agora querem se meter para impedir a separação.

Arthur e Anita tiveram mesmo bastante sorte. Experimentaram uma paixão adolescente depois dos 70 anos, optaram pela vida em comum e concluíram, com autonomia, que casamento bom depende da vontade dos dois. Havia muito a aprender pela vida, pensei, enquanto olhava o casal de braços dados deixando a sala com o divórcio decretado. Reconhecer as impossibilidades concretas de um amor é também uma forma de amar.

Ausência em carne viva

Eu tinha acabado de ser transferida para uma nova Vara. Sem juiz titular ali por quase dois anos, milhares de processos atrasados aguardavam decisão. Mal sobrava tempo para o almoço e eu só deixava o gabinete, exausta, no fim do dia. Meus secretários haviam saído momentaneamente para um lanche e, escondida atrás de pilhas de autos, não percebi a entrada de uma moça. Ela encontrara a porta aberta. A voz frágil e firme anunciava que sabia o que queria:

– Eu tenho o direito constitucional de falar com o juiz. Por isso vim aqui.

É raro eu receber as partes sem a presença de seus advogados. No entanto, em uma Vara de Sucessões poucos são os casos que envolvem interesses opostos, por isso resolvi escutá-la. Além do mais, achei curiosa a invocação a um direito tão fundamental.

Há cinco anos ela aguardava uma declaração de ausência do pai. Tentara, em vão, informação na Defensoria. O estagiário que a atendera dissera que era normal a demora. Não sabia mais o que fazer para amenizar a dor da mãe, que, até aquele dia, continuava sem pensão e sem possibilidade de vivenciar o luto. Era a ausência, arranhando a alma em carne viva.

Desaparecimentos e ausências são situações que me causam tristeza profunda. Poucos processos me abalam tanto. Como lidar com o fato de que alguém desmaterializa e não deixa rastros, pistas, informações? Como chorar uma perda sem um corpo que comprove a partida? Na morte há um defunto, um enterro, a dor aguda. Há urgência e necessidade de lidar com a perda para seguir adiante, como em um movimento natural de sobrevivência. Mas como superar a falta diária de um homem que sai para um passeio e nunca mais volta? Como, depois de cinco anos, repetir, palavra por palavra, o que foi dito naquela manhã que, desde então, assombra quase todos os sonhos de quem espera por resposta?

Fui pessoalmente ao Cartório, ao lado da minha sala, e, buscando o processo do pai da moça em meio a tantos e tantos papéis, me dei conta de que ali repousavam muitos mortos e outros muitos desaparecidos. Depois de vinte anos, eu havia trocado os conflitos do fim dos amores, em uma Vara de Família, por demandas do fim da vida, um Juízo de Sucessões, Curatelas e Tutelas. Olhando as folhas amareladas, muitas repousando anos a fio nos escaninhos, a comparação com as gavetas e túmulos nos cemitérios foi inevitável.

Desde criança, quando era levada por meu pai para visitar as campas onde jaziam meus avós, minha irmãzinha que partira com poucos dias de nascida e alguns tios e primos dos quais ouvia falar por meio de histórias e fotografias, tinha curiosidade sobre a vida daqueles mortos, cujas fotos ornamentavam as sepulturas. Secretamente, calculava o tempo que haviam vivido e imaginava acontecimentos que não existiram, a não ser na minha fantasia. Eu me entristecia com os vasos vazios e os mármores quebrados, sinais de abandono e de solidão na minha ótica infantil.

Vasculhar estante por estante em busca do processo perdido parecia uma exumação. Os papéis empoeirados eram empilhados, osso por osso, nas mesas ao lado até que um deles, muito fininho, era o que procurávamos. Com os autos na mão, constatei que a paralisia no trâmite resultava do descaso com que tratamos as dores. Como não se abalar com o fato de uma mulher procurar o seu homem durante cinco anos e o silêncio ser a única resposta até ali?

Envergonhada com o fluxo natural de uma burocracia que submete a sociedade à indignidade, eu disse que resolveria o problema na semana seguinte. Pedi à moça que comparecesse com a mãe ao meu gabinete e me comprometi a avisar o Ministério Público, que deveria estar presente. Entre ofícios enviados, reiterados, pedidos de mais documentos e uma enorme quantidade de papel, impedindo que se enxerguem pessoas no lugar das laudas, é fácil ingressar na engrenagem que nos transforma em ferramentas inanimadas, repetidoras do mesmo padrão de paralisia e ineficiência. É banal perder a capacidade de nos vermos como protagonistas das mudanças importantes, pensava eu dias depois, enquanto aguardava a chegada das partes para o início da audiência especial.

Guiomar, uma senhora rosada, de cabelos brancos, poderia ter despejado toda a sua indignação tão logo lhe perguntei o que havia acontecido. Poderia ter reclamado da demora na solução do processo. Poderia ter maldito o Judiciário e desqualificado toda a magistratura. Qualquer coisa que ela falasse ou fizesse naquelas circunstâncias seria compreensível. No entanto, ela se limitou a prestar um doce depoimento, saído da alma e da saudade:

– No dia 28 de janeiro de 2009, ele saiu para caminhar, como fazia todos os dias, depois do café da manhã. Era nosso aniversário de casamento; 58 anos juntos. Umas onze, onze e meia, ele não voltou. Ele nunca atrasava para o almoço. Corremos até a praça, onde ele jogava dominó, e ele também não tinha aparecido por lá. Corremos a rua toda, chamamos os vizinhos, os amigos, saímos de carro, colocamos fotos nos postes. Até na televisão e nas redes sociais pedimos ajuda. Nunca mais apareceu. Nem nos hospitais, nem no IML. No meu tempo não tinha essas doenças que a gente agora trata. Quando alguém começava a esquecer, era caduco e pronto. Ele tinha 81 anos. Parecia que estava caducando.

E seguiu:

– Os primeiros três anos foram os mais difíceis. Eu chorava todos os dias.

Quase sussurrando, continuou:

– Vou contar uma coisa muito íntima para a senhora, posso?

Assenti com a cabeça, encorajando-a à revelação:

– Até hoje eu sinto falta do pé dele roçando no meu, e da gente se encostando para dormir. Imagina 58 anos do lado de alguém na mesma cama e de repente fica tudo vazio. Dá para acostumar?

E encerrou:

– Mas o pior é não ter o corpo dele para enterrar. Se ele tivesse falecido, eu chorava, sofria e depois passava. Mas assim não passa nunca.

Eu ouvia o relato como um ritual de renovação da morte no presente. Ainda sem o corpo. Já sem esperança. Cinco anos de processo e, finalmente, naquela mesma audiência saía uma sentença declarando a ausência do homem de Guiomar. A impotência declarando o assombro diante do nada. Frustrada e quase chorando com o que acabara de ouvir, lembrei a ela que aquilo era só um papel e que o papel não amenizaria a sua dor. No máximo, ela conseguiria receber a pensão todos os meses. Carinhosa, foi ela quem me consolou:

– Doutora, a senhora não entende a importância desse papel para mim. Eu sei que é uma dor para sempre e não vim aqui esperando um milagre. Hoje, pela primeira vez em cinco anos, vou dormir em paz. Agora sei que posso descansar e chorar tranquila. Enterrei meu homem e vou sobreviver.

Deixou a sala aliviada com o fim possível. Até sorriu, enquanto chorávamos todos juntos.

Voltei às pilhas de processo disposta a não ceder à irracionalidade que nos transforma, compulsoriamente, em cumpridores de metas e escravos de números. A eficiência só faz sentido quando a serviço das pessoas. Foi essa a razão da minha escolha profissional. A decisão possível não foi capaz, contudo, de sepultar meu desamparo. Há dores e injustiças insuperáveis na vida. Não precisamos aprofundá-las com nossa indiferença.

Francisca, 81

Sempre gostei de guardar muitas coisas. Na minha casa, eu sei onde está tudo. Acho um desperdício jogar sacolas fora. Se você levantar o colchão da minha cama, vai encontrar, sobre o estrado, todas elas esticadinhas. Parecem até novas. Sou extremamente organizada. No meu armário, sei o que tem dentro de cada caixa. Enfeites de Natal, fitas de presente, bijuterias, luvas, os cartões que meus filhos escreviam desde o colégio perto das cadernetas da escola. Até a gaze com o umbigo deles eu guardei como um breve, junto com os primeiros dentes de leite e as carteiras de vacinação.

As fotografias estão arrumadinhas. Pus em ordem para entregar aos meninos quando se casassem. Tem álbum separado para cada um, com os nomes etiquetados. Mas eles mudaram para apartamentos apertados, não tem lugar para nada, então, continua tudo aqui.

Hoje em dia as coisas são descartáveis. Eles usam e jogam fora. Fui criada com muita dificuldade. Aprendi a economizar, a reformar. Não tinha essa facilidade que eles têm. Cansei de desfazer casaco de tricô e aproveitar a linha para fazer um novo no inverno seguinte. Você acredita que ainda uso as roupas de cama do meu enxoval? Parecem novinhas quando engomadas.

Eu entendo que o tempo é outro. Não critico meus filhos nem dou opinião na casa deles. Só não aceito que venham aqui e comecem a mexer em todos os armários, me criticando e querendo jogar minhas coisas fora. Não sou acumuladora nem maluca. Depois que eu morrer, se eles quiserem, podem botar fogo em tudo. Já não vou estar aqui para ver. E não tenho nenhum apego pelas coisas, pode acreditar!

Enquanto estou viva, quem manda na minha casa sou eu. Não sei quando começou essa história de eles quererem decidir por mim sem me perguntar. Acho que foi numa dessas horas que percebi que estava velha. Um dia, flagrei minha secretária escondendo algumas coisas para pôr no lixo. Ela disse que eram ordens da minha filha mais velha. Chamei ela no canto e fui logo avisando:

– Quem paga o seu salário sou eu e é para mim que você trabalha! Se isso acontecer outra vez, você pede para a Ana assinar sua carteira, porque aqui você não trabalha mais.

Acho que ela entendeu. Nunca mais jogou nada fora antes de me perguntar.

Samba e amor
a vida inteira

— Eu não sou homem de fugir das minhas responsabilidades, Ilustríssima, mas a senhora há de convir que essa história não tem pé nem cabeça. Na minha idade eu quero sossego. Jogo meu truco, dou minha caminhada. Meus filhos estão criados, tenho dezoito netos e dois bisnetos. Como é que eu ia arranjar mais um filho nessa altura do campeonato?! Se a mocinha tá falando que o filho é meu, primeiro tem que provar. Assim fica fácil. Põe barriga, procura um velhinho otário, gente boa pra pagar pensão. E depois, se não for meu? Babau...

Alimentos gravídicos eram uma novidade. Até 2008, o ônus de uma gravidez não programada e não desejada era exclusivo das mulheres. Acompanhamento médico pré-natal, eventuais tratamentos, necessidades para o enxoval, enfim, tudo responsabilidade delas. Historicamente, os homens nunca assumiram essa conta, como se gravidez fosse um acidente espontâneo que dependesse apenas do voluntarismo de um útero e dois ovários. Aliás, antes da Constituição de 1988, os homens casados só podiam reconhecer os filhos nascidos da esposa.

Muitos foram os bastardos que viveram à margem da sociedade, sem pensão, sem afeto, sem direitos sucessórios.

Felizmente caminhamos adiante, e agora uma mulher grávida pode contar com a ajuda material do pai já antes do nascimento da criança. Se depois se comprovar que o homem não é o pai, devolve-se o dinheiro e o problema está solucionado. Reduzem-se os danos para a parte mais fraca – aquele que não pediu para nascer – e impede-se um aborto ilegal que transformaria a mãe em ré num injusto processo criminal.

Domingos morava sozinho. Tinha migrado para a cidade, onde imaginara que seria mais fácil envelhecer. A aposentadoria mal dava para os remédios, e o patrimônio foi sendo generosamente distribuído entre as mulheres que amou ao longo da vida. Perdera muitos amigos, fizera amigos novos. Parara de beber, parara de fumar.

– Trepar nem pensar... – deixou escapar, certo de que não seria ouvido.

Não tinha mais idade para se ocupar de contenções verbais. Boêmio, músico profissional, ele vivia da glória de ter tocado com Edu Lobo e Vinicius de Moraes. Com tantos netos, mulheres e bisnetos, a música era a linguagem gravada na memória que o conectava com a vida e a contemporaneidade. Já não se apresentava profissionalmente, mas era figura frequente nas rodas de samba. O repertório encantava as moças de todas as idades. Poucas vezes voltava para casa sem companhia. Ao menos até a madrugada administrava o medo da solidão e o pavor de morrer sozinho.

Eliana não aparentava 30 anos de vida. Parecia ter menos que isso, o que tornava o casal ainda mais improvável.

Fisioterapeuta, ela atendia a vizinha de Domingos algumas vezes na semana. Elevador vai, elevador vem, a lábia do cidadão era irresistível e uma tarde lá foi ela para o apartamento do velhinho.

– Eu nunca podia imaginar que ele tinha 77 anos, doutora. Claro que ele parecia muito mais velho que eu, mas eu dava no máximo uns 63. E vou dizer a verdade. Quando ele me chamou para entrar, nem pensei que podia acontecer alguma coisa. Ele falou que queria uma orientação porque o joelho doía muito e perguntou se eu podia cuidar dele.

Ao entrar no pequeno apartamento, Eliana logo percebeu que Domingos não tinha nenhum problema a ser examinado. A conversa dele, porém, era tão divertida e eram tantas as fotografias, os cartazes de espetáculos, as lembranças contadas com intensidade e graça que ela não teve vontade de ir embora.

Um café, um violão, um Viagra engolido escondido enquanto a moça ia ao banheiro, a experiência de saber onde os carinhos eram irrecusáveis e ali estavam eles, seis meses depois, com a mesa de audiências e a barriga dela se interpondo entre os dois, que estiveram juntos apenas naquela tarde, ao som da bossa nova sussurrada por Nara Leão, e nunca mais haviam se encontrado.

Era comum a presença de adolescentes grávidas na Vara de Família, e em todas as audiências eu gastava um longo tempo tentando orientar os meninos e as meninas para os cuidados necessários nos relacionamentos sexuais. Usufruir o prazer sem culpa deveria vir em embalagem com manual de instruções sobre atenção e responsabilidade. Entretanto, não fiquei à vontade para advertir o casal das consequências indesejadas de uma gestação não programada. Eram adultos, maduros. Senti certa aflição ao constatar que, caso Domingos fosse mesmo o pai, dificilmente veria o filho chegar à juventude.

Fora a parca aposentadoria, os direitos autorais pingavam na conta bancária de Domingos sem que ele percebesse a movimentação. O aluguel de alguns imóveis garantia sua sobrevivência e seria necessário fixar certo valor para o pagamento da pensão. Depois de muita resistência, ele concordou em comprar as fraldas e os móveis do quarto do bebê, além de pagar a metade do plano de saúde dela até a realização de um exame de DNA, quando voltariam à Justiça para reavaliar o parentesco da criança e os valores.

Quatro meses depois do nascimento, voltaram os três. Os olhos azuis e o formato do rosto do molequinho dispensariam qualquer teste genético. A leitura do laudo de DNA foi quase um gesto burocrático na ocasião. Diferentemente da primeira audiência, Domingos parecia orgulhoso ao exibir o troféu da virilidade tardia.

– Eu não levei muita fé, não, doutora. Acho que eu estava mesmo com medo de não ser pai do guri. Desde o dia em que olhei esses olhinhos, quando fomos ao laboratório, não consegui sossegar até ter certeza de que eu era capaz! Acho que não morro mais tão cedo. Esse menino vai precisar aprender muita coisa comigo.

Eliana ainda estava ressentida. Sentiu-se humilhada com as suspeitas de Domingos de que ela pudesse estar mentindo.

– Por que é que eu ia inventar que você era o pai? Além de velho, você é mais ferrado que eu. Golpe da barriga é coisa pra jogador rico ou cantor famoso. Olhe só pra você!

Domingos desculpou-se e pareceu sincero. Não fora assim que aprendera com o Poetinha a tratar uma mulher? Quis pagar pensão, quis regulamentar a visita. Fazia questão de desfilar com o carrinho no calçadão e exibir para os amigos o prêmio que lhe garantiu a sensação de eternidade e de poder. Aparentava uns dez anos a menos naquele dia. Enquanto assinavam os papéis, pediu para segurar o filho no colo.

Olhando embevecido o bebê, como se fosse sua primeira experiência de paternidade, começou a contar algumas histórias de shows e da vida noturna nos bares cariocas. E, talvez pensando nos milagres propiciados pela indústria farmacêutica, não pôde evitar a lembrança do amigo:

– Se tivesse Viagra naquele tempo, Vinicius estava vivo até hoje...

Não conte para ele

Faltava quase meia hora para o início das audiências quando a advogada entrou em meu gabinete, solicitando que eu recebesse os filhos de um senhor que seria ouvido naquela tarde. Muitas famílias têm se esfacelado ante a degeneração do patriarca. O processo apontava para um desses conflitos, bem comuns quando o poder é exercido somente pelo pai e a distribuição da renda e das benesses depende exclusivamente do seu arbítrio. A primogênita pedira a curatela e eu havia determinado que se incluísse nos autos uma declaração com a concordância dos demais irmãos. Nada fora providenciado até então.

Antes que eu indagasse o motivo do pedido, antevi que deveria haver algum problema ligado ao exercício da curatela e aos interesses materiais da empresa da família. Felizmente, minha bola de cristal falha inúmeras vezes e eu estava profundamente enganada. Entraram os três irmãos, juntos. Tinham urgência de falar comigo antes que o pai chegasse, acompanhado do cuidador. O caçula, com pouco mais de 50 anos, era o mais arrasado:

– Doutora, desculpe a insistência, mas estamos preocupados. A gente sabe que essa audiência tem que acontecer, mas, por favor, não deixe ele perceber que está se esquecendo das coisas.

Tentei amenizar a tensão deles, o que tem sido mais difícil a cada dia, desde que assumi a nova Vara. Expliquei que seria uma audiência simples. Perguntas básicas. O laudo seria feito por um médico e eu explicaria ao pai deles os limites da curatela. A irmã do meio intercedeu:

– Acho que ele não conseguiu explicar. Não vai dar para a senhora esclarecer nada. Ele não tem mais nenhum discernimento. Nem da gente ele lembra mais.

O caçula voltou a interromper e insistiu:

– Eu sei que ele não se lembra mais de nada. Sei que nem entende o que está acontecendo, mas ele foi, ou melhor, ele é a pessoa mais importante que a gente teve na vida. Essa doença é misteriosa, sabe? Se ele tiver algum lapso de compreensão, e se nesse momento notar que não é mais quem sempre foi, ele vai sofrer muito.

Lucíola, a mais velha, limitava-se a chorar.

Consegui compreender o que os atormentava. Era um dos meus fantasmas também. Aliás, quem vive meio século e tem a sorte de ver os pais envelhecendo com capacidade laborativa e autonomia vez ou outra tem pesadelos com a degeneração. Deve ser mais ou menos o que acontece quando grávidas sonham com crianças sem dedos e amanhecem suadas ante o horror do inconsciente, que nos remete a abismos que nem supúnhamos existir.

O cuidado comovente que levava os três irmãos ao Fórum era um ponto fora da curva dos casos que eu julgava todos os dias. Na maioria das vezes, filhos tentavam estabelecer o fim da vida dos pais antes do seu fim natural. Não raro, alguns falavam em nome dos idosos como se eles não estivessem presentes, ou como se tivessem perdido o direito de se expressar.

É sempre constrangedor quando um filho se interpõe ante os desejos dos pais e, autoritariamente, se comporta como responsável pelo tempo e pela vida daqueles que ainda possuem voz e vontade. Poucas coisas me irritam mais nas audiências do que filhos se desculpando quando o pai ou a mãe, velhos e às vezes senis, começam a se repetir ou a falar pausadamente, sem pressa, no tempo que só a eles cabe eleger. Um filho não tem o direito de se apropriar da vida do pai. Em nenhuma circunstância.

Tranquilizei os três. Contei a eles que eu também tinha pais na faixa etária do pai deles. E que pouco tempo atrás eu me flagrara praticando justo o que mais repudio. Era um domingo. Meu pai havia ligado, avisando que o motorista não iria buscá-lo para descer a serra. Eu tinha certeza de que, aos 80 anos, ele não deveria dirigir na estrada, a caminho do Rio. Inventei que o meu então marido, que também estava na serra, precisava ir ao Rio e pedi a meu pai que esperasse mais uma ou duas horas pela carona. Enquanto eu terminava de me arrumar, o telefone tocou. Era minha mãe, avisando que eles já haviam chegado ao Rio. Felizes, ostentavam a própria independência e ainda riam da minha preocupação.

Meus filhos, na ocasião, me fizeram perceber o quanto eu estava equivocada. A minha tentativa de zelo era invasiva e desqualificadora. Eu precisava aprender a controlar o monstro da arbitrariedade que habita em cada um de nós. Continuo achando temerário que uma pessoa dirija aos 80, pois há uma decadência inevitável da percepção, das reações, efeitos naturais da passagem do tempo. No entanto, não é pela voz de um filho que se subtrai o direito de ir e vir dos idosos. O processo racional de compreensão e de diálogo, tão efetivo na infância e na juventude, também o é na velhice.

Seguimos para a sala de audiências, onde nos esperava o doutor Silvério. Deve ter sido um homem lindo. Preservava o físico de quem se cuidara ao longo da vida. Nadara até pouco tempo. Limitava-se a sorrir e balançar a cabeça assertivamente a cada pergunta que eu fazia. O Alzheimer não atinge todos os idosos do mesmo modo. Alguns ficam agressivos, outros, agitados. Há lembranças esparsas em certos casos, reminiscências da infância em outros. Às vezes em forma de música, às vezes em meio a um silêncio profundo. Em comum, o mundo desconhecido do esquecimento, habitado pelos que já abandonaram este planeta e partiram para outras viagens. Deve ser aquele canto percebido pelo escritor e educador Rubem Alves, quando diz que os olhos dos velhos vão se enchendo de ausências.

Mesmo compreendendo que o doutor Silvério não me responderia, sentei-me ao lado dele, segurei sua mão e expliquei do que se tratava o processo. Felizmente o Estatuto das Pessoas com Deficiência acabara de ser promulgado e eu não teria mais que decretar a incapacidade nem a interdição de ninguém. Para casos como aquele, bastaria a nomeação de um curador para representar o doutor Silvério nas questões financeiras e materiais. Ele deveria ficar tranquilo e feliz. Poucas vezes eu havia me deparado com filhos tão amorosos e dedicados.

Eu falava olhando para ele, mas queria que a explicação chegasse aos filhos, para diminuir a dor que eles sentiam com a perda vivenciada. A doença do esquecimento tem uma lógica cruel. O paciente esquece e abstrai. Já a família acorda e dorme lembrando-se insistentemente do esquecimento. A contaminação da dor se faz pela memória. Aproveitei para indicar alguns grupos que trabalham com familiares de doentes de Alzheimer. Representam um espaço de compartilhamento de dores e experiências que pode auxiliar nessa triste e dura realidade. Normalmente, a vida é indiferente à justiça e a velhice potencializa essa percepção. Naquela família, ao contrário, afeto e justiça se encontravam. Doutor Silvério estava, decerto, colhendo o que plantara.

Quase nunca o fim acontece da maneira como o programamos. Raramente somos poupados de doenças e deteriorações. Contudo, nessa equação das perdas, como tudo na vida, há sinais positivos que conseguem amenizar o resultado. O olhar doce do pai e o carinho transbordante dos filhos eram sentimentos que nenhum esquecimento conseguiria aniquilar. Um carimbo definitivo na memória. Enquanto eles se lembrassem do pai com amor e admiração, as memórias do doutor Silvério seguiriam preservadas. Existimos pelo olhar do outro. No começo, no meio e no fim.

Senhora do próprio destino

No auge da ressaca, o mar quase chegava à pista próxima ao calçadão. Dezenas de pessoas caminhavam sem dar importância à força das ondas, como se o movimento das águas fosse inofensivo. O mar só assusta aqueles que com ele não convivem, como, aliás, tudo na vida. O medo tem o tamanho da nossa ignorância. No carro, eu tentava entender o que levara Maria José a pedir a própria interdição. Aos 95 anos, não tinha condições de se locomover até o Fórum, por isso a audiência inicial seria realizada na casa dela. No pedido, ela mesma indicava um rapaz para exercer a função de curador e, assim, responsabilizar-se pela gestão de seu patrimônio e das finanças.

Acostumada a ver processos nos quais cuidadores, enfermeiros ou empregados, aproveitando-se da vulnerabilidade dos idosos com quem trabalham, buscam se beneficiar de doações, testamentos e até casamentos que só são descobertos pela família depois da morte, determinei que os filhos ou parentes de Maria José acompanhassem o processo. Ela, contudo, não tinha parente vivo, exceto uma sobrinha-neta do marido, falecido há quase quarenta anos, e com quem pouco se relacionava.

Imaginei encontrar uma velhinha doente, definhando na cama, e me surpreendi quando vi a própria Maria José me esperando na entrada do apartamento e abrindo a porta do elevador. Muito bem-arrumada e inacreditavelmente lúcida e tranquila, recebeu-me com um sorriso. E antes que eu me sentasse no largo sofá de frente para o mar, em uma sala abarrotada de livros e obras de arte, apressou-se em se desculpar pelo trabalho que estava me dando:

– Desculpe o abuso, doutora. Eu até saía sozinha com frequência, mas a ansiedade tem feito a minha pressão subir e eu fico tonta. Pedi à minha advogada que fosse ouvida aqui e espero não ter causado um grande transtorno.

Não havia problema. Não era nada incomum fazer audiências de interdição fora do Tribunal. Nunca, porém, uma que pudesse se transformar em uma conversa agradável como aquela que se iniciava. Maria José vivia sozinha. Quatro empregados se revezavam havia décadas nas tarefas domésticas e um deles dormia no local. Custava-me acreditar que ela tivesse vivido quase um século, tal a agilidade dos raciocínios e, de certa forma, dos movimentos. Elogiei a forma física e, mansamente, ela desmistificou meus devaneios:

– As pessoas gostam de fantasiar a velhice, mas não é fácil envelhecer. É duro conviver com o estrago causado pelo tempo, ainda mais quando não se tem independência física e financeira. Para minha sorte, meu cérebro continua funcionando bem, e com essa parte do corpo intacta consigo enfrentar melhor este momento da vida.

– Mas a senhora tem um suporte material confortável, não tem? – perguntei.

Maria José nunca precisou se preocupar com dinheiro. Casara-se rica, herdara a fortuna do marido e, segundo ela, nunca perdeu muito tempo com isso.

– Quem dera que os problemas da minha vida tivessem sido materiais, doutora.

O marido de Maria José morrera jovem, antes dos 60 anos. Com pouco mais de 50, ela possuía força e coragem para enfrentar os trancos. Mãe de dois jovens, ocupada com os meninos ainda universitários, não foi derrubada pela viuvez. Seria um luto suportável se, três anos depois, não tivesse perdido o caçula, vítima de um acidente de carro.

– Infelizmente, não foi minha última perda. Hoje consigo falar sobre isso como se coçasse uma cicatriz profunda. Sem dor, só que marcada para sempre. Há 27 anos, perdi meu segundo filho. Achei que minha vida ia acabar ali, mas Deus não me escutou e eu não morri. Fiquei uns dois anos sem olhar para esse mar. Eu sentia muita raiva, ressentimento. Será que merecia tanta punição da vida? Meu marido e meus dois filhos antes de mim?

No dia em que Maria José fez 69 anos, Cleide, a empregada mais antiga, apareceu com um moleque de uns 2 anos no trabalho. Ela ajudava a criar o filho de uma sobrinha. A moça sumira no mundo e deixara Rodrigo sozinho.

– Aquele garoto iluminou minha vida, doutora. Encheu a casa de alegria e eu cuidei dele para sempre. A vida leva e a vida traz. E se eu entrei com esse processo agora é porque estou muito preocupada com o futuro dele. Não quero dar trabalho.

Rodrigo foi ficando no apartamento de Maria José. E o que seria uma ajuda meramente material e solidária transformou-se em carinho e fez dos dois parentes. Sem vínculo biológico, sem processo de adoção. Só um amor e um cuidado definitivos. Ocupada com a criação do neto, como ela de fato se referia a ele, sobreviveu à dor profunda e preencheu os vazios com a expectativa de vê-lo se transformar em homem-feito.

Rodrigo estudou nos melhores colégios, graduou-se em Administração e aos poucos foi se responsabilizando pela condução dos negócios de Maria José.

– Hoje ele mora na Inglaterra e está passando a semana aqui. Pedi que voltasse mais tarde, para que eu pudesse conversar com a senhora sem constrangimentos. Quero que ele seja o meu curador e por isso entrei com o processo.

Indaguei a razão pela qual ela não fazia uma procuração, nomeando o rapaz seu mandatário. Não era simples ter autonomia e ser respeitada aos 95 anos. Ela explicou que Rodrigo era o seu procurador fazia mais de quatro anos. Com o passar do tempo, Maria José precisava renovar a procuração e provar que estava viva. O rapaz do Cartório temia que ela sofresse de demência e que uma eventual procuração fosse usada indevidamente.

Não é fácil envelhecer, como ela me disse no início do encontro. Mais difícil ainda deve ser envelhecer com lucidez e ser permanentemente confrontada com o fantasma da incapacidade. Contudo, olhando aquele mar e ouvindo aquela senhora, imaginei a indignidade de, após uma longa e sofrida vida, precisar demonstrar que tem vontade própria, que continua dona dos próprios desejos e, pior, ter de comprovar para um burocrata de balcão que não foi enterrada nem cremada na véspera.

O pedido de autointerdição, ou curatela-mandato, foi a maneira encontrada na época pela advogada para garantir a Maria José respeitabilidade, segurança e autonomia.

– Eu não quero e não posso dar trabalho a ninguém, muito menos ao meu neto. Ele já cuida de tudo mesmo e eu já disse que fiz um testamento, deixando tudo para ele. Eu me sinto bem, mas sei que ninguém fica para semente. Imagine a senhora se eu preciso de uma internação, ou se desligo e começo a esquecer tudo, a trabalheira que o Rodrigo vai ter para provar que é responsável por mim!

De fato, Rodrigo não tinha qualquer vínculo jurídico que o identificasse como neto. Diante do patrimônio de Maria José, algumas exigências seriam feitas em eventual processo e comprometeriam a administração dos bens, ao menos temporariamente. Era um privilégio viver 95 anos e, com liberdade, decidir o futuro no caso de percalços. Perdi a hora conversando com a doce senhora e passaria a tarde toda ali, sorvendo lições de aceitação e equilíbrio. Por sorte, pouco antes da minha saída, Rodrigo chegou e pude constatar, no abraço longo e carinhoso, o laço afetivo descrito pela avó postiça.

O processo seguiu e, ao final, fiz a vontade de Maria José. Se no Direito de Família era possível reconhecer a paternidade socioafetiva, tal princípio seria aplicado para construir o vínculo parental de avó e neto. Maria José não foi totalmente interditada, e a nomeação do curador abrangeu apenas a administração do seu patrimônio, como ela queria.

Antes de deixar aquela vista mar adentro, comovida, abracei a senhora e não resisti:

– Me dá o nome dessa água que a senhora bebe?

Ela riu e sinalizou com uma dica:

– Há 50 anos, eu só como comida orgânica, querida. Se eu soubesse o quanto faz bem, teria começado mais cedo...

Orgânicos, amor, aceitação. E sorte para compreender a linguagem das ondas em movimento infinito diante da janela e poder escolher o próprio destino enquanto se tem lucidez.

Cleo, 80

Hoje é fácil uma mulher mais velha namorar um homem bem mais jovem, mas já pensou o que era isso há trinta anos? Eu me achava velha, imagine! Tinha 49 anos quando fiquei viúva, 49 anos e três filhos adolescentes. Namorei escondido por quase dois anos até ter coragem de assumir a relação. Ele era 22 anos mais jovem que eu. Estava recém-divorciado, com um filho pequeno. Foi bastante difícil. Se não nos amássemos tanto, desistiríamos na primeira semana. Foi um daqueles encontros de alma. Eu já tinha vivido o bastante para não esperar o príncipe encantado, só que também tinha vivido o suficiente para identificar um amor no qual valia a pena investir.

Primeiro veio a censura dos filhos, da família. Depois, a curiosidade dos mais próximos. Pior foi o preconceito. Perdi muitas pessoas que considerava amigas. Foram se afastando. Ficavam constrangidas com o convívio.

Quando olho para trás, vejo o quanto eu era moça aos 50 anos. Eu me sentia uma mulher linda, poderosa, amada. Nada me atingia. Era dona dos meus desejos, do meu dinheiro, da minha liberdade. E só um homem bem mais jovem para entender e respeitar tanta independência. Estamos juntos há trinta anos. Só agora comecei a me preocupar com a diferença de idade. Nunca me imaginei vivendo tanto. Continuo disposta, com vontade de sair, encontrar os amigos, passear.

Resolvi fazer um curso de arte italiana. Já viajei inúmeras vezes para a Itália, mas depois de estudar mais sobre as obras, a história da arte, a vida dos artistas, parece que estamos conhecendo Veneza, Roma e Florença pela primeira vez. Gosto de aprender, de descobrir novidades. Pesquiso com frequência na internet. Busco coisas interessantes para fazer.

Enquanto eu me interesso pela vida, Frederico se interessa por mim. E não me sinto nem velha, nem insegura, nem inadequada.

Todas as cartas de amor são ridículas

A insistência de Margareth para ficar junto do pai na sala de audiências me fez abreviar o trabalho no gabinete ao lado e me dirigir ao local, a fim de acalmar os ânimos. O oficial de justiça havia limitado o acesso, e a moça falava alto, parecendo nervosa. Como em todos os processos que tramitam em segredo de justiça, naquele de divórcio não seria possível a presença de outras pessoas na sala, exceto se os envolvidos concordassem. Com a anuência do pai, Celso, e de sua esposa, deixei que Margareth se sentasse perto dele, desde que se comprometesse a assistir ao ato sem se manifestar.

– A senhora me desculpe, Excelência, mas a pressão dele subiu muito hoje cedo e ele está saindo de uma internação recente – justificou-se Margareth.

O pedido de divórcio fora feito por Celso. Uma alegada incompatibilidade de gênios o levara até ali, após um breve casamento de oito meses com Marlene. O regime de bens era o da separação total, e a mulher não criava nenhum empecilho para a separação. O curioso era que, na petição inicial, Celso oferecera pensão alimentícia de 30% de seus ganhos para ela. E ela recusara.

– E eu sou mulher de precisar de homem?! Quero nada dele, não! Só acabar logo com isso e me mandar daqui.

Um abismo separava o casal. Não só suas idades eram diferentes, mas também seus mundos.

Mesmo com a advertência que fiz a Margareth, ela não parava de falar, aproveitando, quem sabe, o silêncio do casal e a minha condescendência. Eu estava visivelmente interessada em saber o que acontecia ali. Foi pela filha que eu soube que Celso ainda advogava, junto com um jovem sócio, Sérgio, aluno brilhante que ele conhecera nos tempos em que lecionava. Seu herdeiro intelectual, conforme dissera a moça, com uma ponta de ciúme. Celso fora casado com a mãe de Margareth por 45 anos. Os últimos seis anos de casamento foram devastados por uma doença neurológica grave da mulher.

Margareth assumira todos os cuidados da mãe. Multiplicava-se para estar presente às consultas, às sessões de fisioterapia. Quase acabou com o próprio casamento porque não saía da casa dos pais até que a mãe dormisse ou o pai chegasse. Celso nunca foi muito próximo da filha. Parecia ter escolhido exercer o papel de pai com os alunos. Todos os anos era professor homenageado, patrono ou paraninfo das turmas. Como Margareth não se interessava por Direito e Celso não se interessava pelas frivolidades da filha, afastaram-se paulatinamente.

A história que Margareth narrava não combinava com o carinho que dedicava ao pai na audiência. Desde a morte da mãe, pouco o via, e se ali estava era por ter recebido um telefonema de Sérgio, preocupado com a saúde do sócio e amigo.

– Seu pai anda angustiado, dispersivo. Pela primeira vez na vida ele perdeu o prazo em um processo. Felizmente não era nada muito importante, mas é bom você ficar mais perto. Ele não parece velho, mas já tem 76 anos. Depressão ou tristeza, nessa idade, pode ser sério – alertara o rapaz.

A aproximação fora forçada. O pai não queria conversa. Mal-humorado, irritadiço, era grosseiro com a filha e, em uma das visitas, chegou a pedir que a moça o deixasse em paz. Não conseguia perdoá-la desde que, durante o tratamento da mãe, Margareth começou a atormentá-lo, acusando-o de negligência nos cuidados com a esposa. As ausências dele faziam a filha suspeitar que ele mantivesse algum relacionamento extraconjugal. Até um detetive particular ela contratou para investigá-lo. Tiro e queda! O detetive descobriu o que todos os que conviviam com o casal já sabiam. Celso não era o modelo esperado de marido e as escapadas eventuais decerto eram conhecidas e toleradas pela mulher, que aceitara viver daquela forma. Já para Margareth, a traição era imperdoável.

Pela primeira vez, Celso interrompeu a filha:

– Por favor, Margareth. Isso não diz respeito a você e muito menos a Marlene. O que eu vivi com a sua mãe e as escolhas que fizemos não é problema de ninguém. E nem era seu problema. Achei que a gente tinha superado esse assunto...

Fora mesmo um rompimento superado desde que uma pneumonia grave levara Celso para o hospital. Com o pai frágil e vulnerável, a filha pôde se reaproximar, o que deu início a um novo momento na relação dos dois. Mas se passaram algumas semanas até Celso revelar a Margareth a chantagem e a humilhação que experimentava havia alguns meses.

Celso tinha se casado em segredo com Marlene, uma manicure que trabalhava no salão em frente à casa dele.

Marlene não se parecia com nenhuma das aventuras que Celso experimentara ao longo da vida. Ele, porém, se encantou pelas mãos macias, pelo colo largo, pela risada escancarada e pelo pragmatismo sem culpa com que ela vivia a própria vida. As cantadas divertidas, a falta de julgamentos e preconceito, tudo era motivo para incendiar os desejos dele. Os dois filhos de Marlene já eram crescidos e ela morava sozinha. Levou Celso para os bailes que frequentava, e ele, que nunca se imaginara naquele universo, não conseguia mais acordar sem Marlene a seu lado. Sentia-se jovem, com o sangue pulsando nas veias. Também ele era livre para escolher como queria viver. Fez para aquela mulher uma proposta que não era do seu mundo: eles se casariam em segredo e viveriam na casa dele.

Celso acreditava estar tomando a decisão acertada. Garantiria a Marlene o conforto que ela merecia, deixaria uma pensão digna para a moça e, em troca, teria a companheira que o ajudara a reencontrar sua alma, como ele fez questão de dizer.

– No começo era tudo bom, doutora. Depois, ele foi ficando de um jeito esquisito. Queria me controlar. Ficava escutando atrás da porta quando meu telefone tocava. Aquilo foi me enjoando. Nunca tive homem no meu pé. Criei meus filhos sozinha. Fui perdendo a paciência e disse que se ele não me desse a separação eu fazia um barraco na porta do trabalho dele.

Margareth tentou impedir que Marlene continuasse expondo o pai dela de um jeito tão grosseiro. Celso, visivelmente constrangido, pediu que a filha saísse da sala. Eu precisei intervir, porque a moça se recusava a deixar o pai apenas com o advogado.

Sozinho, Celso tomou coragem e, quase se jogando sobre a mesa, suplicou:

– Você não precisa me humilhar, Marlene. Eu prometo que faço tudo do jeito que você quer, mas volte para a nossa casa. Eu te amo.

Impaciente, mas desconcertada com a cena, Marlene encerrou o assunto:

– Eu não quero seu mal, não, homem! Até achei que podia dar certo morar com você, ter mais conforto, trabalhar menos. Humilhada fiquei eu quando sua filha me procurou achando que eu tinha te dado um golpe. Ela não acreditava em mim. Custou pra entender que eu não era uma vagabunda. Mesmo depois que eu devolvi os perfumes e as joias que você me deu, ela duvidou. Só se convenceu depois que garanti que não queria nada de você. Só queria a minha liberdade de volta.

Abatido, Celso sussurrou:

– Me perdoe, Marlene?

Não havia o que ser perdoado nem era o caso de alguém perdoar. Marlene não queria continuar. Os desejos de Celso e as ofertas de estabilidade e segurança que ele fazia não eram moeda de troca que ela aceitasse.

O abandono do sujeito apaixonado não é um fenômeno da juventude. Velhos mergulham em amores idealizados, caem nas mesmas armadilhas juvenis dos amores inseguros e sofrem profundamente o luto da perda. Divorciado, sem pensão fixada, foi no abraço da filha que esperava à porta com os olhos marejados que Celso voltou a encontrar abrigo, dessa vez para experimentar a frustração pelo fim do amor.

– Vai passar... – disse a filha, carinhosa.

Vai passar sim. Sempre passa.

A gente envelhece de repente

– A coisa que mais me incomoda na velhice é a solidão. O dia se arrasta devagar, todo mundo ocupado. O tempo não passa. A televisão fica ligada, ninguém aparece. Os filhos trabalhando, os netos viajando. Eu até entendo. Velho vai ficando muito chato. Não dá pra ter paciência com velho!

Não era verdade. Eu estava há quase uma hora ouvindo dona Maria falar sem parar. E não estava com pressa para encerrar a conversa, muito menos achando a prosa enfadonha. Ela morava sozinha. Nunca quis nenhum filho na barra da saia, embora fosse mãe de seis – perdera um e os outros cinco moravam perto dela.

A saga começara cedo. Aos 8 anos, saíra a pé da cidade do interior onde nascera, na companhia da mãe. O pai havia abandonado a família e fugido com a trapezista do circo.

– Você sabe que anos depois, quando eu já tinha boas condições financeiras, contratei um detetive e descobri o paradeiro do meu pai? Minha mãe, coitada, morreu sem saber disso. Tinha horror a ele! Nunca perdoou a traição.

A filha não só foi ao encontro do pai, como o sustentou até a morte. Foi ela quem cuidou do casamento das quatro meias-irmãs, que só conheceu depois de adulta. Uma ainda era viva, mas estava doente e não reconhecia mais ninguém.

Dona Maria e a mãe haviam sido acolhidas por uma família muito rica. A mãe trabalhava na casa e ela fora educada em boas escolas, sendo tratada como uma irmã das meninas da família.

– Eu casei muito cedo. Ele era um partidão!

Ela me contava as histórias sorrindo, com a saudade aparecendo nas covinhas das bochechas e nas rugas expressivas que se formavam enquanto falava. Antes do marido, quando ainda era uma menina com pouco menos de 15 anos, apaixonou-se por um rapaz que foi para a guerra e nunca mais voltou.

– Eu não sabia nada da vida. O nome dele era Arnaldo. Achei que ia ficar viúva sem nunca ter me casado. Quando apareceu meu marido, eu não gostava muito dele, não, mas minha mãe me convenceu de que ele era um homem bom. Cuidou de mim. Morreu do meu lado. Eu era bem bobinha. Ele me fez estudar, me levou para viajar, nunca me proibiu de trabalhar. Tomou conta da minha mãe como se fosse filho dela.

Dona Maria trabalhara a vida toda, por vontade e por realização. Fazia vestidos de noiva. Tinha mãos de fada para bordados. Depois migrou para uma confecção de roupas. Por fim, abriu uma loja com atendimento personalizado. Até que parou de vez.

– Se eu tenho um arrependimento na vida é ter vendido minha loja. Agora não consigo comprar outra e fico por aí, dependendo da paciência dos outros. Minha situação mudou muito. O que recebo de pensão e o que ganho com os aluguéis mal dá para pagar meu plano de saúde e meus remédios. Queria vender umas coisas, mas os meninos não deixam. Falam que eu posso precisar mais tarde.

A filha caçula, Maria Clara, ouvia as histórias da mãe como se fosse a primeira vez, ora sorrindo, ora erguendo as sobrancelhas, antecipando-se à narrativa.

– Eu já disse para a mamãe que ela devia escrever essas histórias, doutora.

Dona Maria interrompeu, aniquilando o projeto.

– Memória boa é a que a gente viveu, não a que a gente escreve. Eu, graças a Deus, vivi tudo o que merecia. Só não precisava viver tanto! Às vezes acho que Ele se esqueceu de mim por aqui.

Poucos meses antes, um tombo a levara para a UTI. Ninguém acreditava que ela sairia do hospital com vida. Dona de uma saúde de ferro, teve ali um primeiro contato intenso com a vulnerabilidade. Não tinha se recuperado inteiramente e, ainda na cadeira de rodas, já precisava de uma curatela compartilhada entre os filhos, para que estes pudessem administrar seus bens com mais autonomia. Na volta para casa, no tempo livre, além de reclamar da solidão, ocupou-se fazendo colagens, em quadros grandes, com todas as fotografias que havia guardado.

– Você tem que ir na minha casa! O corredor parece uma galeria. E cada vez que passo por ali é como se estivesse vivendo tudo outra vez. Ainda bem que só guardamos as lembranças boas. Imagine se eu, nessa altura da vida, tivesse que lembrar das minhas dores e das minhas perdas. Só tem um buraco que vai ficar aqui para sempre – disse, apontando para o coração. – Meu menino não podia ter ido antes de mim...

Dona Maria não queria mesmo dar trabalho aos filhos. Sabia que todos tinham suas famílias e suas prioridades. Foi procurar um asilo para ver como funcionava.

– Achei que podia ser uma boa ideia mudar, ter com quem conversar o dia inteiro. Cheguei lá e achei tudo muito sem graça. Um monte de velhos, todos piores que eu. Só falavam de doença, de morte e da família que não aparece.

E prosseguiu:

– Vou te dar um conselho, minha filha: você se prepare para a sua velhice, porque a gente fica velho de uma hora para outra. Nem percebe. Eu falo porque sei do que estou falando. Eu mesma, até os 85 anos, achava que não ia ficar velha nunca!

Hoje, aos 92, dona Maria começa a se perceber envelhecendo. No gerúndio. Certamente sabe do que fala. Quando ela saiu da sala de audiências, com os filhos compartilhando a curatela e as responsabilidades por seus cuidados, tal qual desejava, fiquei imaginando se a maneira com que enfrentamos os problemas que a vida nos traz define, de alguma forma, a maneira como vamos envelhecer. Mas são tantas velhices profundamente diferentes umas das outras, tantos fatores que se interpõem entre os nossos desejos e a realidade, que tive certeza de que, além da nossa vontade, envelhecer de repente é como ganhar na loteria.

Quem pariu Mateus

— Tive dois filhos e cuidei dos dois sozinha. Imagine se eu ia ter coragem de ir à Justiça acionar minha sogra doente porque o filho dela não valia nada?! Você conhece essa história muito bem, Cláudia. Eu mesma te contei quando você apareceu lá em casa, toda encantada com o Gustavo.

Cláudia era muito jovem quando começou a namorar Gustavo, filho de Ruth. Foi grande a preocupação porque Ruth desconfiou que a menina fosse menor de idade, e ele era bem mais velho. A mulher só foi sossegar quando conversou com a mãe da moça. Era muita responsabilidade acolher a meninota em sua casa. Fora abandonada pelo marido com os filhos ainda crianças e lutara com dificuldade para criá-los.

O mais velho nunca dera trabalho. Não quis ir para a faculdade e casou-se cedo, tão logo concluiu o segundo grau. Tinha autonomia e, dentro de suas possibilidades, até ajudava a mãe, sua dependente no plano de saúde da firma em que ele trabalhava. Gustavo era mais complicado. Puxara ao pai, ela repetia. Formado em Educação Física, não tinha pressa para assumir a vida adulta. Entrava e saía dos empregos com a mesma facilidade com que entrava e saía dos relacionamentos. Ruth desistiu de tentar decorar o nome das namoradas dele.

A mãe não era mulher de garantir boa vida ao filho. Apenas permitia que ele continuasse morando com ela e, óbvio, não lhe negava comida e roupa lavada. Nada além disso. Ao contrário. Insistia para que ele alçasse voo e se tornasse independente. E Cláudia foi durando mais que as namoradas anteriores. Mas a presença constante da moça na casa incomodava Ruth. Fora a desorganização, que desorientava a mulher, Cláudia representava mais uma boca para comer. Com menos de um ano de namoro, o rapaz aceitou trabalhar em um resort e ambos se mudaram. Partiram os três: Cláudia estava grávida.

A angústia que Ruth sentiu durante a gestação da nora foi apaziguada pela aparente transformação de Gustavo depois do nascimento da criança. Parecia que a filha o havia conectado com a realidade e o cotidiano. Ganharam mais um filho e, por cinco anos, não demandaram de Ruth quase nada além de afeto e, eventualmente, alguma ajuda material. Foi uma trégua rápida. A partir daí as brigas se tornaram constantes, e Gustavo, instável, sumia e reaparecia sem dar satisfação a Cláudia e sem cuidar da sobrevivência dos filhos.

Não foi por falta de aviso nem por falta de advertência. Ruth sempre alertara a moça sobre o temperamento do rapaz. Então foi uma década de entra e sai, uma década de processos ajuizados e arquivados na Justiça, ora de divórcio, ora de separação de corpos, até que uma sentença definitiva selou o direito das crianças. Gustavo pagaria 40% dos seus ganhos ou, quando estivesse sem vínculo empregatício, um salário mínimo para os dois meninos.

A vida, no entanto, acontece no mundo concreto, e uma sentença judicial, por mais justa e adequada, não tem o condão de alterar a realidade. Embora obrigado ao pagamento, inclusive com risco de parar na cadeia no caso de não cumprimento da decisão, Gustavo não se abalava. Mês sim, mês não, Cláudia tinha de ir à Justiça para conseguir receber a pensão. Ele se escondia, viajava sem deixar rastro, reaparecia com presentes quando queria, parcelava a dívida e, de uma forma ou de outra, sobreviveram todos em meio a essa irresponsabilidade consentida. Na hora da prisão, Cláudia acabava cedendo aos apelos do pai de seus filhos e assinava os recibos como se ele estivesse quite com a obrigação.

Ruth perdeu o contato diário com o filho, a nora e os netos. Sentia falta deles, mas acabou se acostumando. Depois de um tempo, a saudade era só um nome distanciado dos afetos. Ela convivia com o primogênito e se ocupava da própria saúde, que começava a dar sinais preocupantes, com a pressão irregular e o descontrole da diabetes.

A recente falta de notícias do marido e as necessidades urgentes dos seus já adolescentes levaram Cláudia a procurar um advogado, colega de trabalho, que sugerira cobrar pensão da avó paterna. Se o pai não comparecia, havia lei que protegia os meninos: na falta dos pais, são os avós que têm de cuidar dos netos, diz a lei. Os pais de Cláudia já pagavam a escola. Seria justo compartilhar as despesas com a sogra.

De um lado da mesa, Ruth, envelhecida, olhava a nora e os netos à sua frente. Portavam-se como desconhecidos, unidos apenas por uma herança genética desprovida de carinho de parte a parte. Ácida, Cláudia parecia querer culpar Ruth pelo desaparecimento de Gustavo. Ela não era mais a jovem que um dia chegara à casa da sogra apaixonada pelo rapaz musculoso e inconsequente. Ressentida, contava com o apoio dos filhos para constranger a avó a assumir o pagamento.

O mesmo tempo que envelhecera Ruth amadurecera Cláudia. A ação do tempo não impede que o lixo acumulado no passado bloqueie o caminho para que o amor transite livremente.

– A senhora é mãe dele, avó dos meus filhos! Sabia que há mais de um ano ele não aparece nem para saber se estamos vivos? Quem sabe se a senhora tiver que pagar ele não volta?

Ruth nada sabia do paradeiro de Gustavo. E a nora e os netos nada sabiam da vida dela nesses últimos anos. Ela aprendera com a vida e fizera o que estava a seu alcance para criar um homem bom. Não conseguira.

– Você tem um filho e uma filha e um dia vai entender. A gente educa igual, ensina igual, mas cada um é um. Como é que eu vou ser responsável por um homem de mais de 50 anos?! Eu estou doente. Meu outro filho me ajuda com as despesas. Não tenho de onde tirar dinheiro.

Ruth nunca fora uma mulher dócil. Ser abandonada, cuidar da própria vida, dos seus meninos, e, depois de velha, ser chamada para cuidar dos netos com quem não convivia aumentava a aparente rudeza com que se comportara até ali. Por outro lado, a vida também não havia sido pródiga com Cláudia. É natural, na juventude, a crença de que o amor tudo pode. Ela amou Gustavo. Se foi conivente com as loucuras dele e se decidiu perdoá-lo quando achou apropriado, isso não significava que estava condenada a aceitar sozinha a tarefa de sustentar as crianças pelo resto da vida.

Expliquei que, na falta dos pais, os avós podem ser chamados a pagar pensão, a depender das possibilidades deles. Ruth vivia de proventos como professora municipal. Não eram suficientes nem para os seus medicamentos, não tivesse herdado dos pais a casa onde vivia, no subúrbio. Aquelas mulheres, cada qual do seu lugar e do seu tempo, poderiam se ajudar se conseguissem estabelecer vínculos de empatia. Passaram por dores parecidas, viviam problemas similares, mas o ressentimento impedia a construção de uma pinguela de comunicação.

Expliquei que conflitos como aqueles eram cada vez mais comuns. Lamentavelmente, muitas famílias têm sido sustentadas por aposentadorias dos mais velhos, que, depois de uma vida dedicada ao trabalho, se veem tendo de arcar com a sobrevivência dos netos. Gustavo tivera oportunidade de construir uma existência diferente. Não fez essa escolha, apesar das orientações firmes de Ruth. Nada, além da esperança, garantia a Cláudia que o mesmo não aconteceria com os próprios filhos. Não era um julgamento moral sobre quem seria a melhor mãe do universo. Melhor mãe é a que faz tudo o que imagina estar a seu alcance, ainda que não colha frutos da semeadura.

A rede solidária tecida pela lei para obrigar os familiares ao sustento mútuo só existe porque seria impossível ao Estado prover todo mundo que precisasse. Embora desejável, o amor familiar não é um sentimento natural. Precisa ser regado, cuidado, aninhado. A mesma lei que garante aos menores de idade o sustento por pais e avós garante aos mais velhos o direito ao sustento por filhos e netos.

Diante da velhice e da doença, quem seria mais vulnerável: as crianças ou o idoso? Seria razoável impor essa obrigação a Ruth? Seria correto permitir que os filhos de Gustavo, que cresceram sem o pai, fossem privados de algum conforto para sobreviverem mais dignamente? A escolha de Sofia surgia todos os dias, à espera de uma solução. Não há lei, muito menos juiz, que reescreva a história da vida dos outros. As tentativas nos julgamentos é buscar, sempre que possível, a redução de danos.

Depois de muita mágoa sobre a mesa, recontei a trajetória de Ruth e de Cláudia para que elas pudessem ouvir, da boca de uma estranha, o que haviam acabado de narrar. Fui generosa, elogiando a força e a coragem das duas. Falava olhando para os netos adolescentes, que presenciavam a contenda e tinham direito de enxergar alguma racionalidade ou esperança. Tratava-se de uma tentativa de impedir que o ciclo de ódio se eternizasse. Propus – e elas aceitaram – que durante a semana eles almoçassem na casa da avó, que ficava perto do colégio em que estudavam. Como ela havia dito durante a audiência, na mesa da casa dela sempre cabia mais um.

Não era o ideal, mas ajudaria no sustento. Seria uma oportunidade também para uma possível aproximação afetiva. Ruth se comprometeu a ajudar a localizar Gustavo. Embora descrente do filho, sugeriu a Cláudia que o deixasse ser preso quando fosse encontrado:

– Quem sabe assim ele aprende?

Não sei se ela desejava, sinceramente, a prisão do filho. Mas, vendo-a deixar a sala com os ombros curvados, a pele seca e a cabeça branca, tive a certeza de que ela desejava, sinceramente, que o filho crescesse e aprendesse a cuidar dela também.

João, 82

Claro que algumas vezes eu sinto medo. É natural. Normalmente acontece nas madrugadas. É a hora em que os macacos costumam pular na minha cabeça. Nunca tive sono leve. Ao contrário, batia na cama e dormia até o dia seguinte. Agora, durmo tardíssimo e acordo antes do amanhecer. Bem que minha mãe dizia que velho dorme pouco. O medo não é racional. Nenhum medo é. A morte não chega na velhice. Aprendi isso muito cedo, quando perdi meu filho adolescente em um acidente de carro.

O que chega na velhice é a lembrança diária de que o fim se aproxima. Não consigo mais fazer nenhum plano de longo prazo. Quando me convidam para uma viagem para daí a uns seis, sete meses, embora eu não fale, penso: Será que vou estar vivo para viajar? Será que alguma doença vai me derrubar?

Tem uma novidade que descobri há pouco tempo e que tem me ajudado a controlar a ansiedade silenciosa: pensar num dia de cada vez. E como tem sido prazeroso acordar e poder escolher diariamente o que vou fazer para me ocupar, me alegrar...

Enquanto distraio a morte, acho que ela se esquece de mim. Mesmo com o medo vez ou outra me assombrando, é um prazer enorme me sentir vivo e viver a intensidade de cada minuto.

No ano passado, meu neto foi estudar fora do Brasil. Ia passar seis meses. Quando ele me abraçou, comecei a soluçar. Chorei muito. Não era tristeza, porque ele ia ganhar o mundo. Era medo de morrer e não ver mais a carinha dele. Mês passado ele chegou de volta. Então me dei conta de que, apesar de não controlar a vida, ela tem sido muito generosa comigo. O que tento, agora, é controlar o medo. Para viver ainda melhor.

O que o tempo não ensina

– Ela assinou o acordo. Nosso divórcio foi consensual. O prazo para ela sair de casa terminou faz quase um ano. Não entendo a vitimização nessa altura do campeonato!

Tivesse Heitor falado nesse tom três anos antes e Alice assentiria com tudo, deixaria a casa sem nem tirar suas roupas e seus objetos pessoais. Era incapaz de discutir ou contrariar a opinião do homem com quem vivera 54 anos. Mas são surpreendentes as transformações provocadas pelos grandes traumas. Para o bem ou para o mal, depois de um terremoto nada volta ao lugar original. E, se um choque altera até o curso dos rios, o que dizer de uma mulher surpreendida por um aviso de separação às vésperas de completar 75 anos?

Não houve consulta nem qualquer sinal que ela pudesse perceber. O mesmo homem, parceiro da vida, com quem povoara o mundo e junto a quem esperava envelhecer, até a morte, não acenara com alternativa que não o divórcio. Apaixonado por uma mulher trinta anos mais jovem, Heitor foi incapaz de outra escolha. A vida, na iminência dos 80 anos, era urgente e, se ele gastara boa parte do tempo submetido a uma rotina nem sempre agradável, pela primeira vez protagonizaria os próprios desejos. Nem os filhos nem a estabilidade doméstica o impediriam de assumir o romance que acalentava em segredo fazia meses.

Marina, aos 47 anos, conhecera Heitor em um congresso. Uma paixão inesperada. Imaginaram que seria possível administrar a relação mantendo os respectivos casamentos, até que o marido de Marina descobriu o que estava acontecendo e precipitou a decisão. Já para Alice, a vida não tinha concedido o poder de definir os próprios caminhos. Da escola de freiras partira direto para o casamento no altar e a vida dedicada a servir ao marido, educar os filhos e impressionar os amigos com o gerenciamento impecável da casa. Era dócil e discreta a sua presença social.

Preparou-se para tudo. Ou melhor, para quase tudo. Experimentou, ao lado do marido, a crise financeira das clínicas das quais eram proprietários e manteve-se firme quando precisou abrir mão dos confortos materiais, do luxo e das viagens a que estava acostumada. Viu a fortuna retornar, com investimentos em aparelhos para exames hospitalares. Agora, quase no fim da vida, com os filhos morando fora do país, achou que não sobreviveria. Envergonhada, como se fosse culpada pela paixão adolescente do velho marido, não teve coragem de conversar com alguém que pudesse orientá-la. Assinou os papéis do divórcio tais como lhe foram entregues. Sem tirar nem pôr uma vírgula.

Exceto pelo fato de Heitor não dormir mais a seu lado e ela não precisar reclamar dos roncos cada dia mais barulhentos, o cotidiano mudara pouco. Todas as contas continuavam a ser pagas pela empresa, o dinheiro de que precisava estava disponível e a administração do patrimônio ainda era feita pelo varão. O primeiro ano da separação, apesar da rotina quase intacta, foi o mais difícil. Alice definhou e uma depressão profunda a trancou no quarto de si mesma durante meses. A intervenção psiquiátrica, desencadeada a fórceps pela comadre com doses cavalares de medicação, foi lentamente sendo substituída pela terapia. Quando ela se deu conta, acordar, comer e dormir não eram mais verbos conjugados com dor ou sofrimento.

Os novos amigos na aula de ioga eram animados, e os prazeres imaginados silenciosamente durante os anos de casamento aos poucos se concretizavam: teatros, cinemas, pequenos passeios nos fins de semana transformaram Alice.

– E eu que achava que só precisava esperar a morte, me via leve, dando risadas, escolhendo ficar perto de quem me fazia feliz. É um privilégio conseguir gostar de quem a gente é, mesmo depois de velha, doutora. Acho que isso é que está incomodando o Heitor. Ele não suporta me ver assim. É um egoísmo crônico.

Alice agora não concordava em deixar a casa. Não achava correto ter de ceder nada. Ele se apaixonou, ele pediu o divórcio, ele se aproveitou da vulnerabilidade dela para conseguir fazer o acordo da forma mais vantajosa para ele. Por que ela facilitaria a vida para ele? A ação do tempo costuma ser mais generosa para os homens, especialmente na experiência de novas paixões.

Enquanto eu esperava Heitor se acalmar para ouvir a proposta de Alice, que desejava comprar a parte dele no imóvel, fiquei tentando adivinhar se a história seria a mesma, caso ela tivesse pedido o divórcio para viver com um homem trinta anos mais jovem. Pensava, ainda, se era justo exigir de Heitor que renunciasse à paixão na penúltima curva da vida, em nome da estabilidade matrimonial e em nome do tempo vivido com Alice. Sim, haveria sempre uma última curva antes do fim, onde as escolhas já não poderiam ser feitas. Apelei para a importância do tempo que viveram juntos. Achei que ele poderia compreender:

– Doutor Heitor, vocês compartilharam tudo por 54 anos. A decisão de sair de casa foi sua. Eu sei que ela assinou o acordo e que, embora frágil, compreendia o compromisso ali escrito. O senhor esperou mais de um ano para vir à Justiça exigir a desocupação do imóvel. Não parece cruel que, aos 78 anos, a Alice deixe a casa em que passou a vida toda sem que haja necessidade desse desfecho tão trágico? Em respeito ao tempo que vocês passaram juntos, peço que o senhor escute a proposta dela.

E finalizei:

– Envelhecer com sabedoria é um privilégio e um grande aprendizado.

Alice preferia perder o acordo a perder a piada e me interrompeu:

– Excelência, homem não envelhece nunca. Eles chegam, no máximo, aos 50 e assim ficam. Depois, passam direto para a decrepitude.

A risada espontânea de Heitor amenizou o clima. Não sei se pela vaidade de se sentir um homem de 50 anos, pela incompreensão da piada ou se pelo alívio que sentiu diante da leveza da ex-mulher, que, aparentemente, o perdoava, ele aceitou, afinal, vender a parte dele na casa. Ficou de pensar na proposta de parcelamento feita por ela e na possibilidade de compensação com algumas cotas da empresa. Talvez a ideia de congelamento aos 50 anos não fizesse sentido para todos os homens ou fosse apenas fruto da dor vivenciada por Alice, temperada pelo humor que aprendera a desenvolver nos últimos anos. De todo modo, a imagem do coelho de outra Alice foi uma associação inevitável para mim: tenho pressa, muita pressa! A urgência da vida era percebida pelos dois.

O que queremos são certezas

— A senhora não quis subir para falar comigo? Chega aqui para o lado. Tem muita gente passando e não vamos conseguir conversar direito no meio do corredor.

Com um braço nos ombros de dona Wilma, eu a conduzi lentamente a um canto do hall, longe das filas intermináveis dos elevadores. Não era raro eu descer para ouvir alguma parte, em especial porque, em uma Vara que julga processos de curatela, muitas pessoas mal se locomovem, e é mais confortável que a audiência seja realizada no andar térreo ou até mesmo dentro do carro que as leva ao Centro da cidade.

Com o dedo indicador apontado para os meus olhos, ela foi logo avisando:

— Nem adianta querer me enrolar e tentar me levar para fazer os exames. Eu já disse para as minhas filhas que não quero, e não vou!

Dona Wilma era professora de Matemática. Lecionara durante décadas na graduação da universidade federal e, nos últimos anos, perto da aposentadoria, apenas na pós-graduação.

Viúva e mãe de três filhas, estava no Fórum para uma audiência em que seria entrevistada por mim. Como me dissera Marta, a primogênita, que chegara um pouco mais cedo para falar comigo em meu gabinete, não era possível a mãe insistir em continuar vivendo sozinha. Era óbvio que ela já não tinha condições de decidir sobre a própria vida.

– De uns tempos para cá, a casa dela virou um chiqueiro. Acumula tudo o que encontra pela frente. Não deixa a empregada jogar nada fora.

Na curta viagem de elevador que fiz com Marta do andar do gabinete até o térreo, ela tentou resumir o problema da mãe. Juntava uma palavra à outra, sem pausas ou pontuações, entremeando as frases com fotos em que a casa de dona Wilma parecia tomada por instalações de arte contemporânea ou por altares com votos de promessas alcançadas: uma parede colorida de garrafas, estantes superlotadas de bonecos de pelúcia, pilhas e pilhas de jornais, revistas pelo chão dos cômodos. Sem falar nas centenas de caixas que a filha eliminara sem que ela percebesse. Os espaços não ficavam mais de um ou dois dias vazios. Uma tarde em que a mãe saísse sozinha e, no retorno, novos objetos comprados ou garimpados nos lixos apareciam em sua casa. Interrompemos as explicações tão logo avistei dona Wilma.

– A senhora é médica? – foi a pergunta que se seguiu à advertência inicial que me fizera.

Tentei tranquilizá-la. Estávamos no hall do Fórum e me apresentei como magistrada. No canto do corredor, para onde a conduzi, ela tirou delicadamente meu braço dos seus ombros e, de mãos dadas comigo, continuou a falar, como se estivesse reencontrando uma velha conhecida. Encorajada pela acolhida carinhosa, elogiei as unhas pintadas, bem-feitas, e as pulseiras coloridas em forma de argolas que ela usava do pulso ao cotovelo.

– Sou muito vaidosa! Nunca entrei na sala de aula sem maquiagem. Adoro bijuterias, sabe? Todo dia eu compro uma dessas.

A filha tentou interromper o diálogo, temendo estar me ocupando além do conveniente. Pisquei um olho para ela e segui ouvindo as histórias que dona Wilma queria me contar. Segundo ela, as meninas a estavam deixando mais nervosa do que o necessário. Não era burra. Era professora universitária, qualificação muitas vezes repetida. Sempre se cuidara e sempre fora a médicos quando preciso. Já tinha 83 anos, então era natural que esquecesse uma coisinha ou outra. Nada que lhe tirasse o discernimento. Ela não se incomodava que as filhas a ajudassem, mas não queria ninguém entrando em sua casa para dizer o que ela podia ou não podia ter dentro da própria sala.

Mudei o rumo da prosa e perguntei sobre a carreira docente. Os olhos ainda brilhavam com as lembranças das homenagens que recebera. Fora patrona de muitas turmas, perdera a conta de quantas vezes havia sido paraninfa. Enviuvara quando as filhas ainda eram adolescentes e garantira às três formação adequada e sobrevivência digna. Nesse momento expliquei o que fazíamos ali: as filhas solicitavam uma curatela porque entendiam que ela precisava de auxílio para gerenciar as contas. Elas estavam preocupadas porque dona Wilma se esquecera de pagar alguns boletos, inclusive o do plano de saúde. Havia menos de um mês o porteiro do prédio da esquina da rua onde ela morava precisou levá-la para casa, depois da feira, porque ela não lembrava o endereço.

– Foi um lapso normal, doutora – insistia em se justificar, como se precisasse aparentar domínio total sobre a própria existência.

O grande problema enfrentado pelas filhas era a resistência da mãe a se submeter aos exames indicados pelo clínico. Porém, sem um laudo, e diante de uma mulher que aparentemente tinha consciência e controle de seus atos e desejos, eu não via como conceder uma curatela provisória. Era importante ouvir um médico que pudesse elaborar uma perícia para instruir o processo.

– Eu já disse a elas que quando eu quiser vou fazer os exames. E esse exame que a senhora quer que eu faça, não vou fazer. Gostei muito da senhora, mas pode ficar tranquila: quando eu precisar, sei que posso contar com minhas filhas.

– Mas, dona Wilma – ponderei –, a senhora parece uma mulher tão inteligente. Trabalhou com Matemática a vida toda, sabe da importância de cumprir as orientações do médico. Por que não recebe o perito, tranquiliza suas filhas? Se houver necessidade de algum tratamento, é melhor diagnosticar mais cedo, não acha?

– Ah, doutora... para a senhora é muito fácil falar isso, não é? Quero ver essa coragem toda quando chegar na minha idade...

Dona Wilma me desestabilizou. Não era mesmo fácil lidar com a possibilidade de uma doença degenerativa ou mental, especialmente no caso dela, que ainda tinha compreensão de tudo ou quase tudo que acontecia. O medo dela potencializava o meu medo diante do tempo e do inevitável. Alguma racionalidade é necessária para enfrentar os problemas que a idade traz sem a nossa autorização ou vontade.

Não me lembrava exatamente da obra, mas recordei que Bertrand Russell, filósofo e matemático, havia escrito que o que realmente queremos não são conhecimentos, mas certezas. Levei a reflexão para a nossa conversa, na tentativa de convencê-la a se submeter à perícia. No fundo, eu queria me convencer daquilo que falava. Não estava certa do que podia ser melhor naquelas circunstâncias: ignorar o problema e esperar a ação do tempo? A qualidade da vida que ainda lhe restava melhoraria com um diagnóstico objetivo? Ela ou a família poderiam evitar o avanço de uma doença degenerativa? Intuí que qualquer diagnóstico seria melhor que a dúvida. E que fosse qual fosse o cenário no horizonte, tanto para ela quanto para a família, deveriam existir alternativas ou paliativos. Insisti:

– A senhora foi professora a vida toda. Trabalhou com o conhecimento e sabe que quanto mais luz despejamos nas trevas do desconhecido mais fácil é enfrentar os fantasmas. Qualquer que seja a conclusão, não é melhor que a senhora tenha autonomia para decidir sobre o futuro, até mesmo para escolher que tipo de ajuda prefere, se for o caso?

Tristemente resignada, ela concordou. Advertiu a filha de que estava fazendo aquilo porque queria e não porque era obrigada. Tirou uma das argolas, me entregou e me devolveu, do mesmo filósofo, outra orientação:

– Russell também dizia que, mesmo quando todos os especialistas estão de acordo, podem muito bem estar enganados. É o que eu acho que vai acontecer nesses exames.

Antes que o laudo fosse apresentado, uma petição informou o óbito de dona Wilma. O coração parara de bater durante o sono. A morte atropelara as certezas, as dúvidas e os medos. Partiu como poucos.

Então, eu não existo?

Entre uma audiência e outra, enquanto eu aguardava sozinha a chegada das partes para encerrar o dia, um homem entrou na minha sala e permaneceu de pé, na minha frente, sem dizer palavra. Despachando alguns processos, e atenta ao que lia, mal levantei a cabeça, imaginando tratar-se de um cliente que chegara antes do advogado. Como nada falava, a presença silenciosa passou a me incomodar mais do que se tivesse me interpelado para tirar alguma dúvida ou obter informação.

Dobrei a página do processo, fechei os autos e só quando levantei a cabeça para cumprimentá-lo é que percebi como era gasta a figura que me observava, olhos quase fechados pelas rugas ao redor, pele carcomida pelo sol. Um funcionário do Cartório entrou apressado na sala, dirigindo-se diretamente a ele:

– Eu já não expliquei que o seu problema não pode ser resolvido aqui?

Ignorando o senhor, interpelei o funcionário:

– Ele está aguardando o advogado para a audiência?

Não estava. Ele parecia não entender muito bem o que acontecia. Transitava pelos corredores do Fórum desde a hora do almoço. Abria as portas que encontrava pela frente e buscava solução para um problema que considerava extremamente simples. Como ninguém chegava para a audiência seguinte, resolvi tentar entendê-lo. Apresentei-me como juíza e ouvi o suspiro de alívio. Seu Fernandes tinha 90 anos. Vivia com a mulher, já velha e doente, conforme ele mesmo me disse. Morador da área rural, raramente ia ao Centro, e não teria sido diferente naquele dia, caso não tivessem cancelado o benefício dele.

A inesperada informação, no banco, de que seu benefício havia sido suspenso o deixara surpreso e contrariado. Não era muito o que ele ganhava, mas precisava do dinheiro para pagar as contas vencidas. Do banco, ele seguiu para o balcão da Previdência. A longa fila para atendimento prioritário revelava que ali não se levava em consideração que há prioridades maiores do que outras. Se ao menos ele fosse um pouco mais jovem, a voz não sairia tão baixa e eles teriam de atendê-lo na marra. Quem grita acaba conseguindo um atendimento melhor. Perder a voz era um triste atributo da velhice.

Ainda não foi ali que o dinheiro apareceu. Como ele havia perdido o recadastramento e só portava a carteira de trabalho e o cartão de segurado, apenas com uma Declaração de Vida seria possível reverter a situação. Seu Fernandes fingiu que entendeu, mas voltou ao balcão umas duas ou três vezes, na esperança de que alguém notasse a perplexidade dele diante da insensatez da burocracia.

– Pro-va-de-Vi-da! – esclarecia a mocinha, crente que seria entendida se falasse como se ele fosse uma criança. – O senhor procura um juiz, mostra que está vivo e ele resolve o seu probleminha, entendeu?!

Claro que entendeu! Por que não explicaram logo? Por que ela reduzia seu problema a um diminutivo infantil? Ele não pestanejou. Atravessou a rua, entrou no Fórum e, agora sim, estava diante de uma juíza para provar que estava vivo.

– A senhora vai me perdoar, mas não é uma falta de respeito eles acharem que podem matar a gente assim? Então ela não viu que eu estava ali?!

Infelizmente não bastava a assinatura de um juiz para resolver o absurdo da situação. Um homem vive 90 anos, sobrevive com uma aposentadoria indigna e ainda precisa provar que está vivo, mesmo respirando diante de funcionários pagos para atendê-lo e servi-lo. Eu não tinha como resolver o problema dele, porém não podia deixá-lo sair sem uma solução rumo a outro balcão.

– Tem uma Justiça do Estado e uma Justiça Federal, seu Fernandes. Eu vou escrever um endereço para o senhor, com um bilhete. Acredito que, dessa forma, o senhor possa resolver tudo de uma vez.

Eu me sentia uma porta atrás de outra porta. Eu me sentia parte integrante dos balcões, escaninhos, dos barbantes, grampos, carimbos e papéis. Aprendemos a conviver com tantos paradoxos e iniquidades que mal percebemos quando viramos, nós mesmos, máquinas desse sistema que não enxerga o outro como destinatário da justiça que deveríamos distribuir. Não era, de fato, minha atribuição. Por outro lado, não era possível ignorar que um velho com nove décadas de estrada precisava provar que estava vivo para continuar sobrevivendo.

A burocracia não é um processo natural da vida. Ao contrário da respiração e dos batimentos cardíacos do seu Fernandes, que continuavam pulsando ordenadamente no compasso da existência. As regras se destinam às pessoas e não à preservação da burrice que nada vê e nada sente. Imaginar que os riscos de fraude que levam a esse tipo de controle são maiores que a presunção da boa-fé e do respeito que se deve ter por outro homem, especialmente por aquele que ousou viver 90 anos nesse contexto, é sucatear a humanidade.

Pedi que um estagiário acompanhasse seu Fernandes até a Defensoria Pública munido de um bilhete meu para facilitar a acolhida e a compreensão do inusitado problema. Seu Fernandes, indignado mesmo depois das tentativas de esclarecimento, encerrou a conversa:

– Se eu tô aqui vivinho na sua frente e se a senhora que é juíza não pode nem assinar um papel pra mim dizendo isso, não sei pra que é que serve juiz!

Estava certíssimo o seu Fernandes. Se nem para afirmar a vida serve um juiz, a Justiça serve a quem, afinal? Misturei as histórias de Kafka na cabeça e me senti uma barata desorientada em meio às páginas velhas e amareladas de um processo interminável.

Elzinha, 74

Era só o que faltava, eu ter que dar satisfação para a minha filha, depois de tanto tempo para conseguir minha independência. Enquanto o pai dela era vivo, eu vivia em função dele, da nossa loja e da família. Quando fiquei viúva, nenhum dos filhos parou o que estava fazendo e veio cuidar só de mim. Nem precisava. Eu não era tão velha, tinha pouco mais de 65 anos. Continuei trabalhando, fazendo minha aula de dança, minha hidroginástica. Convivo com muitos amigos, gosto de festa. É curioso filho achar que a gente vira Nossa Senhora depois que fica viúva.

A Janete é minha melhor amiga. Ela não precisava ter ligado para minha filha. Foi pura ansiedade. Bastava um pouco de sossego para esperar eu responder à mensagem dela. Saímos juntas do baile. O professor nos ofereceu uma carona. Imagine se eu ia perder a oportunidade? Na última aula de bolero, ele me pegou de um jeito que me fez sentir viva, como eu não me sentia há muitos anos.

Depois que deixamos Janete na casa dela, ele perguntou se eu não estava com fome. Claro que entendi o que ele queria e pensei: Por que não? Não era tão tarde quando cheguei à portaria do meu prédio. Foi ligar o celular, ainda no elevador, e parecia que o mundo tinha acabado. Centenas de recados. Pior foi chegar em casa e encontrar o circo armado. Minha filha tinha ligado para todos os contatos da minha agenda. E eu, com uma cara de felicidade impossível de disfarçar.

Será que ela não sabe que continuo sentindo desejos e que posso fazer o que tenho vontade? Ela que arranje a desculpa que quiser para acalmar meus amigos, que já me imaginavam morta na madrugada violenta. Eu não vou ligar para ninguém. Só quero descansar e lembrar o quanto foi boa a noite. Será que minha filha preferia ter me encontrado no hospital ou no Instituto Médico-Legal?

Estou esperando que ela se redima pela confusão que aprontou. Ela me deve desculpas porque não me enxerga como uma mulher.

Sem tempo para dizer adeus

Ninguém morre de felicidade ou de infelicidade, embora seja mais fácil aceitar o fim sob essa perspectiva. A morte – feliz ou infeliz – é um dado da realidade. Nada mais. Morre-se todos os dias e não há nada que possamos fazer quanto a isso. Mesmo sabendo que a morte não manda avisos nem notificações, vivemos como se nunca fôssemos morrer. As pálpebras pesadas, que exigiam um esforço tremendo todas as vezes que ela tentava arregalar os olhos pequenos para expressar a intensidade e a euforia do que vivera, revelavam uma Catarina triste, incapaz de lidar com mais uma perda que a vida lhe impusera.

Ficara viúva aos 70, depois de um casamento harmônico e insípido que durara 54 anos e do qual resultaram três filhos e dois netos, todos homens. Sustentada pelo marido, imaginou que, depois da morte dele, continuaria sendo mantida pelos frutos da empresa familiar. Não contava, porém, com a ganância dos meninos, que antes da missa de sétimo dia do pai já guerreavam pela administração do patrimônio. Quando, finalmente, alertada pelos insistentes conselhos da comadre, procurou um advogado, o estrago estava feito. Escolheu o silêncio e a resignação ao rompimento e isolou-se da família. Nunca tinha sido mulher de confronto. Não seria aos 70 anos, e logo num ringue com os filhos, que iniciaria a carreira de luta livre.

O começo foi difícil. Se alguma coisa ela conseguira construir sozinha ao longo de décadas fora a rede segura e carinhosa da amizade. Disponível e sociável, nunca abrira mão da convivência nas aulas de pilates, nos grupos de teatro e, eventualmente, nos bailes vespertinos. O falecido marido não compreendia a facilidade com que Catarina se entregava a esses pequenos e banais prazeres. Nunca, contudo, interferia. De alguma forma, o casamento chegara ao "até que a morte..." precisamente por essa razão. Nas vidas incomunicáveis que escolheram viver, ambos se ignoravam mas se respeitavam. Dividiam os espaços e apartavam os afetos. Compartilhavam os problemas familiares e domésticos e celebravam, cada qual no seu quadrado, as soluções.

Por insistência dos amigos, Catarina voltou aos salões após a viuvez. Gostava da dança, da música, da alegria vivaz que se instalava nos bailes. Observava os encontros, identificava os aproveitadores, divertia-se com os romances das amigas e os detalhes picantes das aventuras sexuais das velhinhas, como ela mesma costumava dizer. Já ela, só dançava. E tentava, nos rodopios, retomar o rumo da própria vida. Em uma das tardes deixou romper o cinturão de segurança que se impunha. Permitiu uma dança com Hélio, um desconhecido. Era a primeira vez dele naquele salão. Estava ali por insistência de Clara, irmã mais velha de 83 anos, praticamente uma mãe. Eram três irmãos. Ele era o caçula. Engraçado continuar caçula aos 74 anos.

Dois para lá, não era viúvo. Nunca se casara, dois para cá. Estudar, trabalhar, a rotina operária desde criança, dois para lá. Tênis. Por isso a forma física invejável. Jogava todos os fins de semana, dois para cá. Claro, o joelho incomodava um pouco, mas nada que interrompesse o bolero e a conversa fácil. De dois em dois, para lá e para cá, gastaram a tarde, nem perceberam que as mãos ficaram juntas depois da dança. Naturalmente se aproximaram e combinaram outra tarde. E outra. E mais outra.

O namoro começou escondido, quase secreto. Antes que a semana chegasse ao fim, ele já passara duas tardes inteiras na casa dela. Longe da rotina, do barulho e das intervenções, a árvore frondosa da intimidade fincou raízes. Nunca é preciso muito tempo para que o amor se instale. O momento inexplicável do desejo define se o ritual da aproximação prossegue ou termina em um átimo. Um milagre inexplicável.

Catarina e Hélio perceberam com esperança e alegria o sangue pulsante. Quase um mês depois, ela almoçava na casa que ele dividia com os irmãos. Clara, empolgada com o ineditismo de uma namorada do irmão caçula ser apresentada à família, acolheu carinhosamente aquela a quem já chamava de cunhada. Jorge, com quase 90 anos, pouco falava. Apresentava sinais físicos e mentais de declínio. Perderam os pais muito cedo. Mas, graças ao trabalho precoce de Jorge e Clara, Hélio pôde estudar, ganhar dinheiro e adquirir o patrimônio confortável que tinham então. Catarina e Hélio não demoraram a se casar. Nem puderam escolher o regime de bens. A idade avançada os obrigava a aceitar a separação total. Para o noivo foi um conforto.

Embora os filhos de Catarina tivessem dissipado a empresa da família, ela ainda preservara imóveis suficientes para alugar e cobrir as despesas. Hélio não desejava, nem de longe, parecer interesseiro. Ambos já haviam vivido o bastante para aprender que o tempo é relativo. Aproveitaram intensamente o amor, cotidiano inédito para ele. Catarina foi morar na casa de Hélio, na companhia dos irmãos dele, e assumiu o protagonismo do lar e da família ampliada.

A intensidade, contudo, não tem compromisso com a durabilidade. Em uma manhã de quinta-feira, um infarto levou Hélio oito meses depois da festa, do vestido de noiva, dos bem-casados e do felizes para sempre. Hélio não deixara testamento. Nunca havia se preocupado com isso. Como adivinhar que morreria antes dos irmãos mais velhos? A surpresa foi enorme quando o advogado esclareceu aos três que, na falta de filhos ou de pais, a única herdeira seria Catarina. Os irmãos herdariam apenas se ele não tivesse se casado.

Clara, passado o primeiro assombro e falando em nome dela e de Jorge, propôs que a casa da família permanecesse com eles, os irmãos. Catarina abriu o inventário, pois aprendera com a morte do primeiro marido que não deveria ser impulsiva na generosidade. Precisava pensar com calma sobre a proposta. Na audiência especial solicitada por Clara, eu tentava explicar que, se Hélio houvesse feito um testamento, a solução teria sido outra. Mas quem faz testamento em uma sociedade que nega a velhice e a morte?

Expliquei ainda, ponderando sobre a história que todos vivenciaram, que seria justo que os irmãos tivessem sua segurança material resguardada. Catarina entrara na família fazia menos de um ano, já a convivência entre os irmãos era quase secular. Esclareci que, caso ela concordasse com a proposta, eles teriam de pagar imposto de doação e poderíamos resolver tudo consensualmente, ao longo do inventário, embora não fosse usual. Pediram a suspensão do processo por sessenta dias para refletir, decidir e, se fosse o caso, apresentar o acordo.

Terminada a audiência, senti vontade de ligar para todos os meus amigos e conhecidos que viviam realidades semelhantes para alertá-los da necessidade de preparar a vida para depois da morte. A norma era profundamente injusta naquele caso concreto. Como deixar os irmãos sem nada e garantir apenas o direito da mulher naquelas circunstâncias? É verdade que um juiz pode muito, mas não pode tudo. Mesmo injusta, a norma era clara. Torci para que o acordo fosse finalizado.

Quatro meses depois, uma petição, no mesmo processo, noticiava a morte de Catarina, atropelada por uma motocicleta na saída da igreja. Mais uma vez, o fato mais certo e mais previsível da vida se interpusera como um fenômeno surpreendente. Os três não tiveram tempo para ultimar o acordo. Palavras e promessas foram feitas. Nem uma linha no papel fora assinada. Assim, os filhos de Catarina – com os quais ela mal se relacionava nos últimos tempos – viraram herdeiros de todo o patrimônio de Hélio.

Jorge e Clara continuaram litigando, procrastinando quando possível, evitando entregar documentos que demoravam para ser providenciados. Provavelmente perderiam a causa no final. No entanto, por mais paradoxal que seja, há momentos em que a lentidão do sistema judiciário pode servir para reduzir as injustiças que nascem de algumas normas.

E, no final, havia o final. Os dois eram idosos e, com alguma sorte, o tempo que lhes restava seria menor que a duração do processo. Até lá, eles permaneceriam na casa e, enquanto houvesse vida, haveria a possibilidade, ainda que improvável, de reparação.

Águia não vive em gaiola

Entrei na sala de audiências a tempo de ouvir a advertência da mulher à advogada:

– Mais dois minutos e eu me mando! Nunca esperei por ninguém e não vou, depois de velha, esperar por nenhuma juizinha.

A juizinha, no caso, era eu. Acumulando duas Varas naquele mês, eu ainda tinha dificuldades com a onipresença necessária para dar conta do recado. Nunca achei que juiz fosse deus, mas adoraria não ser cobrada com vãs expectativas de onisciência e de poderes mágicos. Fingi que não escutei, desculpei-me pelo atraso involuntário. No fundo, achei graça da espontaneidade com que Nina se apresentava para ser ouvida em uma audiência de interdição movida pela filha.

Cabelos grisalhos presos em um rabo de cavalo, duas tatuagens desbotadas no braço, um longo vestido indiano contrastando com a bolsa de marca que ostentava em cima da mesa. Não fosse pelo acessório, Nina poderia ser confundida com uma hippie, vendedora de artesanatos nas praias desertas da Bahia, onde remanesciam comunidades dos anos 1960. Perguntei o significado das tatuagens e ela me contou que eram uma referência à águia, seu animal de poder. Pedi para ver mais de perto, o que foi compreendido como uma senha para que ela destrancasse as portas da memória e me levasse para as muitas viagens que experimentara.

Nina era uma mulher livre. Herdeira única de família rica, nunca dependera de ninguém. Os três filhos que teve, com dois dos seus quatro maridos, aprenderam cedo que não poderiam contar com a ajuda da mãe para o papel de cuidadora, nem com a presença dela para os momentos de necessidades cotidianas. Não que fosse egoísta, como fazia questão de afirmar, mas porque acreditava que cada qual aprende a andar melhor sem as muletas sufocantes do afeto obrigatório.

Uma fotografia, com lama até o pescoço, era o cartão de visitas que carregava na bolsa e a prova irrefutável de que estivera em Woodstock.

– Muitos amigos contam que foram. Mas é conversa! Se todo mundo que diz que foi tivesse ido você acha que ia caber?

Voz rouca, risada aberta, era impossível não ser seduzido pelas histórias que ela contava, detalhada e divertidamente. A pele morena, castigada pelo sol, o cigarro apagado na mão e os olhos expressivos revelavam a intensidade da sua vida até os 65 anos. Jamais gostara de política, mas se apaixonara por um homem mais velho que precisou deixar o país no começo de 1969. Partiu com ele, mas não permaneceu a seu lado muito tempo. Sem paciência para a burocrática vida doméstica londrina, seguiu para os Estados Unidos, grávida e sozinha. Sua primeira filha, Joana, nasceu na Califórnia, em 1970.

No começo da década de 1980, voltou para o Brasil e – como ela disse – encontrou um anjo, que seria pai de seus outros dois filhos e que adotaria legalmente Joana e a criaria. O pai biológico da menina era um delicioso aventureiro, um viajante que sumira no mundo. Nina nunca teve uma vida previsível. Foi perdendo a capacidade econômica à medida que gastava bastante e ganhava quase nada. O trabalho, para ela, sempre fora diversão.

– Vim no mundo a passeio!

Entre gargalhadas, fatos e memórias, eu não conseguia entender as razões pelas quais Joana pedia a interdição da mãe. Juridicamente, Nina era idosa, mas nem chegara aos 70 anos. Não apresentava qualquer sinal visível de demência. Era óbvio que não aceitava a intervenção da filha, e o esforço para suprir os lapsos da memória, ao responder às minhas perguntas, provocava em Nina irritação, seguida de novas risadas e da busca por mais histórias e lembranças sobre as quais tinha domínio.

Joana era o oposto da mãe. Casada, mãe de um filho, economista, enquadrada profissionalmente, decidiu pedir a interdição por orientação do médico de Nina, depois da quarta ou quinta crise que tivera.

– Quando fui buscá-la no hospital, o médico me chamou e disse que ela não podia mais ficar sozinha. E que agora não tinha mais essa história de vontade, não.

A intervenção da filha transformou Nina em outra mulher, raivosa:

– Era só o que faltava! Está para nascer o médico que diga que eu não tenho mais vontade!

Uma doença degenerativa, ainda sem diagnóstico, comprometia a memória de Nina. Alguns desmaios nos meses anteriores indicavam que, de fato, ela precisava de companhia permanente. Não era o caso de deferir uma curatela provisória, ao menos até ter certeza de que a doença a incapacitava. Pedi que fosse feito um laudo mais detalhado e sugeri a Nina que aproveitasse, enquanto tivesse lucidez, para decidir sobre os rumos da própria vida. Se necessário, escolheria com autonomia quem seria a sua curadora.

– Se não podemos ter controle sobre tudo o que está por acontecer na vida, se não fazemos as escolhas possíveis, alguém vai escolher por nós. Acho que até o laudo ficar pronto você deve pensar nessa hipótese – ponderei.

A reação de Nina, inicialmente de negação, foi se transformando durante a conversa em uma tristeza profunda, pela falta de controle sobre o tempo, a doença e o fim, que percebia iminente. O clima de consternação, entretanto, não nublava a luminosidade da vida, por ela sorvida intensamente. Em seu caso, o médico poderia ter sido mais delicado. Não se espera que um profissional que cuida da saúde subtraia de alguém o direito de ter vontade. Nós somos as circunstâncias e as memórias que conseguimos tatuar na alma ao longo da vida. O que foi vivido é um patrimônio significativo e valioso.

Na audiência posterior, levada por Joana, a mesma Nina, um pouco mais dócil e já na companhia de uma cuidadora contratada pela filha, concordou com a interdição parcial. Era a melhor opção na época.

– Mas preste atenção, doutora! Avisa pra essa menina que vai ser assim porque eu quero! Era só o que faltava alguém achar que manda na minha vida. Eu já disse pra você que a águia é meu animal de poder? Já viu águia em gaiola?!

Levantou-se e foi embora, com as asas abertas em volta da filha.

Vingança é veneno

Depois de duas ou três perguntas, pude constatar que a incapacidade de Francisco não atingira a cognição. Ele entendia o que eu falava e os olhos piscavam duas ou três vezes para responder afirmativamente. Quando queria negar, um murmúrio e o olhar mais fechado sinalizavam um "não". A audição estava preservada. Depois de 53 anos de um casamento sólido, como Heloísa fez questão de adjetivar, ela não imaginou que teria de se reinventar. Com os filhos casados e pouco afetuosos, ela vivera as últimas décadas dependendo do marido para as tarefas mais banais.

– Ele nunca foi carinhoso com os meninos. Se hoje estou sozinha, enfrentando esse momento, é porque ele está colhendo o que plantou. São excelentes filhos, mas o pai sempre fez questão de manter distância.

Empresário bem-sucedido, aos 80 anos Francisco decidiu partilhar todo o patrimônio imobiliário. Manteve o usufruto vitalício apenas na casa em que morava. Conhecia a ambição humana e não queria que os filhos passassem pelos conflitos que enfrentara quando da sucessão do próprio pai. Agora, nem podia esclarecer em detalhes que intenções o levaram a tal decisão, se generosidade ou onipotência. Afásico e hemiplégico, dependia de cuidados em tempo integral.

– Todos os amigos elogiam o desprendimento dele. Quem vê cara não vê coração, não é mesmo?

As alfinetadas de Heloísa não eram sem razão. Francisco não se preocupou com a mulher nem pediu a opinião dela na ocasião. Imaginava-se eterno, resolvendo as questões financeiras e materiais para todo o sempre. O acidente vascular atingiu a família simultaneamente à crise econômica que o país atravessava. Os filhos, cuja solidariedade seria esperada nessa hora, cuidavam da própria vida. Em 93 dias de hospital, apenas poucas noites Heloísa conseguiu dormir em casa, quando o primogênito a rendeu, deixando muito claro que não achava justo que os irmãos não fizessem o mesmo.

– Ele sempre estimulou a competitividade entre os meninos. Desde crianças. Se alguma culpa eu tenho, é pela minha omissão nesse tempo todo.

Francisco chegou para a audiência de interdição apoiado em um andador e auxiliado por um enfermeiro. O AVC comprometera sua mobilidade e a fala. Heloísa sentou-se na frente dele, o que já demonstrava a distância com que o tratava. Além do mais, resmungava e bufava a cada pergunta que eu dirigia ao marido. Ela passava por um momento difícil. Se já não era fácil conviver com a dependência integral de Francisco, tal tarefa era potencializada pela solidão e pela ausência proposital dos filhos. Precisou aprender a pagar contas, administrar a vida financeira, economizar nos gastos, negociar com o plano de saúde. Não teve tempo para chorar. Jamais quis contar com a piedade alheia.

Ainda que ela tentasse explicar que o afastamento dos filhos fora causado pelo arbítrio de Francisco, o que se percebia eram as consequências do descaso, aprofundando a solidão dela. Heloísa nasceu mulher em um ambiente no qual poucas escolhas eram possíveis para as mulheres. Presença silenciosa e resignada, acompanhava o marido sempre que requisitada. A dedicação à vida doméstica e aos cuidados visíveis para com a casa e os filhos era exaltada por todos que conviviam com eles. Seguir casada, mesmo depois que os filhos cresceram e deixaram o lar, não foi uma opção, e sim uma sequência natural e previsível.

– Depois dessa reviravolta entendi que se eu tivesse filhas hoje ia ensinar tudo o que não me ensinaram. Mulher tem que trabalhar, ter dinheiro, não depender de marido para nada! Eu aceitei muita coisa na vida porque era idiota.

Heloísa falava como se Francisco não estivesse ali. Ela contou da própria impotência diante das aventuras extraconjugais do marido. Falou da dificuldade que sentia quando os casos chegavam ao seu conhecimento. Narrou as inúmeras vezes que fez questão de fingir que não sabia de nada, com medo de não conseguir tomar uma decisão, com medo de viver sem a proteção material dele.

O improvável nos atropela e se impõe. Com ou sem vontade, medo ou preparação, Heloísa viu-se obrigada a aprender a caminhar com as próprias pernas. Sem o auxílio dos filhos, sem a voz do marido, incapacitado pelo triste e irreversível diagnóstico, o destino lhe impôs uma transformação que, seguramente, não teria acontecido em tempos de paz.

– Eu nunca tinha entrado em um banco. Minha conta era administrada por ele. Se a senhora me visse há dez meses, ia pensar que eu era mãe de quem eu sou hoje, doutora. Precisei ser forte, me cuidar, me fortalecer. Foi muito difícil, mas agora estou me acostumando.

Tirou da bolsa uma foto que exibia uma velhinha de cabelos brancos completamente diferente da mulher sentada à minha frente. Perfumada, com os olhos visivelmente esticados por uma plástica, cabelos pintados e elegantemente bem cortados, postura ereta, segura e firme nas colocações, Heloísa tinha renascido com a tragédia. Elogiei a determinação dela e a capacidade de se transformar em uma mulher forte diante de problemas tão graves e difíceis de enfrentar.

– Agradeço as suas palavras, Excelência, mas isso não é força, não. É raiva. Muita raiva, sabe?

Ela falava para mim, porém olhava para o marido, fulminando-o. Ele começou a sacudir a cabeça, incapaz de produzir algum som, mas nitidamente transtornado. Como a audiência já havia acabado e faltava apenas a assinatura dela na assentada, pedi ao enfermeiro que aguardasse com Francisco no corredor até que ele se acalmasse. Ela não esperou a saída deles e falou alto, para que o marido ouvisse:

– A senhora acredita que ele ficou assim quando estava na cama de uma vadia? Achou que era garoto, quis mostrar serviço, se entupiu de Viagra e agora está aí. Imprestável!

Mordendo os lábios para não chorar, ela deixou escapar o sentimento de humilhação que a incomodava. A transformação física e as adaptações às quais se submetera para assumir o comando material e tomar as decisões cotidianas funcionavam como uma armadura que a blindava da dor da traição pública e da vergonha por não ter sido capaz de se libertar, voluntariamente, depois de 78 anos de vida.

– Eu vivo para cuidar desse traste. E resolvi cuidar de mim para ele enxergar o tamanho da burrada que fez. Se ele não morreu é porque precisava aprender alguma coisa. E este é o pior castigo: ele ter que me ver cada dia melhor e ter que lidar com a própria decadência.

Heloísa, no entanto, não tinha plateia que reconhecesse seus esforços. Nem ganharia um troféu no final da vida pela missão que se impunha. Submeter Francisco dia e noite à humilhação, na tentativa de reparar a que ela mesma sofrera, não aliviaria sua mágoa. Tentei demovê-la do plano macabro. A vingança travestida de altruísmo a envenenaria. Ainda que ele fosse merecedor de algum castigo, a lógica dela não funcionava. A cela escolhida por ela para encarcerá-lo também a tornava prisioneira.

– Por que a senhora não aproveita e dá uma guinada na vida? Procure alguma coisa que tenha vontade de fazer. Encontre amigos, viaje. Nunca é tarde para entender que é possível tomar as rédeas da situação.

Mas Heloísa não queria se libertar. Há escravidões que se perpetuam na alma. Mesmo depois da alforria, há escravos que não conseguem abandonar tal condição. Ela vivia esse doloroso processo. Deixou a sala pisando firme. Da porta, ainda pude avistar a rapidez com que se distanciava de Francisco, que a seguia lentamente, apoiado no aparelho e no cuidador. Inevitável, uma vez mais, a lembrança do genial Nelson Rodrigues. A misericórdia também pode corromper. Onde mais ele encontraria personagens tão precários, contraditórios e profundamente humanos?

Lourenço, 83

A pior coisa que fiz na vida foi me submeter à vontade do meu filho. Eu devia ter batido o pé. Dizia que não ia, e pronto! Desde quando filho pode governar a vida da gente? Eu respeitei a vontade dos meus pais até a morte. Jamais tirei a voz deles.

Na época, Hilda era viva. Não sei se ela queria muito ficar perto do filho e dos netos, ou se tinha medo da solidão. Mesmo quando nosso menino foi para a faculdade, decidimos continuar na chácara. Eu estava quase aposentado e o nosso projeto era envelhecer ali, onde morávamos fazia mais de vinte anos.

Ela já estava doente. Se sentia mais segura na cidade grande, perto dos médicos e dos hospitais. Então vendemos a chácara e viemos. A morte veio poucos meses depois da mudança. Ela mal aproveitou o apartamento novo. Sortuda! Foi internada e não voltou mais. Imagine se ela ia se acostumar nessa gaiola?! Sem quintal, sem horta, sem os vizinhos que entravam e saíam da nossa cozinha... Agora fico sozinho, esperando pelo meu filho. Ele passa aqui todos os dias, depois do trabalho.

Faz questão. A mulher dele também é muito atenciosa. Liga sempre, preocupada comigo.

Eu não reclamo de quase nada. Só meu travesseiro sabe da minha contrariedade. Gasto meu tempo fazendo palavra cruzada. Dizem que é bom para fortalecer a memória. Às vezes desço para jogar porrinha na praça. Os parceiros são até divertidos, mas é só ali que convivemos. Cidade grande é assim. Ninguém vai na casa de ninguém.

O que me chateou profundamente foi saber da morte do Tenório, amigo do peito, só depois de um mês do enterro. Quem me contou foi meu compadre. Ligou, reclamando que eu não tinha ido à missa nem dado os pêsames para a família. Eu não sabia de nada. Meu filho escondeu de mim, com medo que eu ficasse mal. Me aborreci, falei grosso com ele. Disse que não admitia que me tratasse como um incapaz. Já vivi bastante para saber que as pessoas morrem. Esconder de mim a morte do meu grande amigo, com medo de me entristecer, foi inadmissível.

Ele pediu desculpas. Pensou que estava fazendo o melhor para mim. Como alguém pode achar que é bom mentir para os outros? Não sou criança. Cada vez que me escondem algo, penso que estou mais velho e mais acabado do que realmente estou.

Tudo está bem quando acaba bem

– Vou pedir que os três esperem no corredor. Já ouvi o suficiente e preciso falar reservadamente com o pai de vocês. Os advogados podem ficar, por favor.

Quase quarenta minutos em uma audiência cuja única finalidade era ouvir Alberto, e apenas as vozes de Jane, Marcos e Julieta ecoavam na sala insípida. A suspeita de que Julieta gastava todo o dinheiro do pai, com quem morava, e as dificuldades criadas por ela para que os irmãos entrassem na casa dele os levaram à Justiça para pedir a interdição de Alberto.

Os irmãos mais velhos não dependiam do pai. Nunca dependeram, como me explicou a primogênita. Segundo eles, Julieta jamais se sustentou, exceto em um curto período, quando se mudou para a Bahia, apaixonada por um namorado holandês que conhecera havia poucos meses. Pretendiam abrir uma pousada em uma praia deslumbrante e a oportunidade parecia imperdível. A mãe dos três ainda era viva, e a moça convenceu o pai a investir um bom dinheiro na compra de um terreno.

Menos de dois anos depois, a frustração com a relação e o empreendimento levou o estrangeiro de volta à terra de Rembrandt e Van Gogh. Julieta, sem dinheiro, sem terreno, sem pousada e sem paixão, voltou grávida e foi viver na casa dos pais. Nada menos impressionista. O retorno não poderia ter acontecido em momento mais delicado. A mãe, adoecida, morreu poucos meses depois.

Se, por um lado, a volta de Julieta causou um grande transtorno à família, por outro, a presença da neta aliviou a tristeza de Alberto. O provisório tornou-se definitivo e, enquanto a vida seguia, nenhum dos irmãos parecia se incomodar com o arranjo e a acomodação da caçula. O sinal de alerta acendeu quando Luana, já adolescente, passou a enfrentar a mãe. Julieta continuava irresponsável, como na juventude, mas não era agressiva. A filha era, e ela não conseguia controlá-la.

As brigas constantes começaram a estressar Alberto. Ele se sentia cansado, velho para conviver naquele ambiente. Tentava mediar mãe e filha e, muitas vezes, era ignorado. O caldo entornou quando Luana, aos 19 anos, saiu de casa para morar com o namorado. Julieta permaneceu na companhia do pai e, ainda que nada tivesse sido combinado na rede familiar, era ela quem administrava informalmente a movimentação financeira de Alberto.

Num Natal, Alberto comentou que estava com dificuldades para pagar o plano de saúde, que aumentara desproporcionalmente. Foi a luz vermelha que piscou, paralisando Marcos e Jane. Por pouco a ceia não azedou. Os irmãos tentaram confrontar Julieta. Antes que o pai se aproximasse, ela simulou uma enxaqueca e foi dormir, sem peru nem rabanadas. A partir de então, dava sempre uma desculpa para evitar a aproximação. Quando Jane avisava que estava chegando, Julieta se apressava e saía com o pai para um passeio na praça. Nas vezes da visita de Marcos, havia sempre uma consulta, ou no médico ou na fisioterapeuta. Exatamente no mesmo horário.

Sem falar dos telefonemas. Ou Alberto estava descansando, ou no banho, ou almoçando, ou ocupado. As alternativas eram repetidas e o distanciamento, visível. Na conversa com o médico, Jane soube que o pai estava entrando em um processo de demência. Não era Alzheimer, como esclareceu ao irmão, mas a doença impedia que ele tivesse controle ou discernimento para gerenciar sua vida. Julieta ouvia calada, enquanto Marcos e Jane desfiavam um rosário de malfeitos praticados pela caçula.

– Não precisamos do dinheiro dele, doutora. Nossa preocupação é que ela gaste tudo e que, depois, ele fique sem condições de sobreviver.

Julieta interrompeu. Imaginei que ela fosse se defender ou apresentar alguma desculpa, mas ela perguntou:

– A senhora me dá um minuto? Fico preocupada com ele sozinho no corredor. Tenho que dar um remédio e ver se ele precisa de alguma coisa.

No breve período em que ela saiu da sala, os irmãos aproveitaram para intensificar as acusações e preocupações:

– Ele passa a mão na cabeça dela o tempo todo, doutora. Compra tudo o que ela quer. Paga todas as prestações que ela faz, e agora ela se aproveita disso para proibir que a gente saia com o papai.

Jane prosseguiu:

– Sempre foi assim. A vida toda ela era a coitadinha, a queridinha, a que não deu certo. Mas agora passou dos limites. Ela domina o papai e não deixa a gente se aproximar. Sabe o que ela faz quando a gente chega? Tira ele de casa, leva para a praça. Obriga ele a rir para tirar foto. Só para postar no Facebook.

Encerrei a conversa antes da volta de Julieta, acalmando os dois. Julieta não era a única que publicava mentiras felizes ou felicidades inventadas nas redes sociais. Eu ouviria Alberto. A doença que o acometia não impedia que ele se manifestasse com clareza, como pude constatar desde o início da audiência. Solicitei que, naquele momento, apenas Alberto e os advogados permanecessem na sala.

Embora um pouco confuso, ele pareceu orientado no tempo e no espaço. Compreendia que não tinha domínio da memória e que, de fato, precisava que alguém cuidasse das suas contas, seus aluguéis e pagamentos.

– O que eu não quero é ver os três brigando desse jeito. Eu gosto deles igual, sabe? Mas é que tenho mais afinidade com Julietinha. Se eu precisar escolher um dos três para cuidar disso, ou para ser meu procurador, prefiro ela.

Ponderei sobre as preocupações de Marcos e Jane. Ele me tranquilizou:

– Eles não precisam de mim. Nunca precisaram e nunca me deram trabalho. São filhos bons, eu gosto deles. Mas Julieta é mais carinhosa. Toda a vida foi assim. Eles reclamavam que eu só ria quando ela chegava. É o jeito dela, meio confuso, gastadeira. Mas ela tem tempo e gosta de cuidar de mim. Se eu posso pagar as coisas para ela, qual o problema? Eles não podem se meter nisso. O que gasto com ela não é nem metade do que ganho. E o que eu ganho é mais que suficiente.

Com o retorno de todos para a sala, tentei uma alternativa que atendesse Alberto e pacificasse os filhos. Jane e Marcos estavam irredutíveis. Não se conformavam com o isolamento provocado pela irmã. Aceitaram, não sem resistência, que fosse feita a vontade do pai. Julieta foi nomeada curadora, mas com o compromisso de prestar contas mensalmente. Alberto esclareceu aos filhos que a caçula deveria continuar sendo sustentada por ele, como desde sempre.

Fiz constar da decisão que, caso alguma despesa do pai não fosse paga, ou caso Julieta aumentasse seus gastos, a curadora seria substituída. Contrariados, Jane e Marcos só aceitaram a solução porque Julieta também se comprometeu a deixar as chaves da casa com eles, para que entrassem quando tivessem vontade de estar junto de Alberto. Não costumam ser fáceis os acertos de afeto depois que a infância fica em um passado distante. Já vi casos em que um irmão, depois de três anos sem conseguir contato com a mãe, que havia sido sequestrada pela irmã, só a reencontrou no sepultamento.

O ciúme tardio, acumulado pela preferência afetiva ao longo de anos, poderia ter esgarçado todos os sentimentos entre os irmãos. Mas será que eles não encontravam, nas lembranças, motivos para se aproximarem? Não brincaram tantas vezes juntos? Não dividiram os espaços e dormiram na mesma cama, com medo das trovoadas?

Felizmente Alberto, em uma trégua da demência, realizou seu desejo de ver seus meninos convivendo em aparente paz. Não recebi qualquer petição nos meses que se seguiram, além das detalhadas prestações de contas que, mensalmente, me informavam que Julieta, pródiga em gastos e em afeto, estava cumprindo seu compromisso. Não era a Julieta do Romeu, mas o nome deve ter me levado a Shakespeare, autor que diariamente aparece como profeta para as personagens que surgem nos processos que julgo. O bardo nunca erra: tudo está bem quando acaba bem.

Mas louco é quem me diz

— O que eu não estou entendendo é por que a senhora foi interditada há trinta anos.

Eva me ouvia atentamente na sala de audiências. Tinha 97 anos. Morava em uma casa de longa permanência. Sem marido e sem filhos, perdera os pais várias décadas antes. A última das três irmãs morrera havia pouco tempo. Os dois sobrinhos, únicos familiares vivos, pediram o desarquivamento do processo de interdição, pois pretendiam substituir a curatela exercida até então pela mãe deles. Estávamos fazia vinte minutos conversando e eu não percebia nela nenhum sinal de doença neurológica, psiquiátrica ou degenerativa. Ela não aparentava a idade que tinha e demorei a acreditar que era quase centenária, conforme constava de sua carteira de identidade. Cabelos pintados, unhas vermelhas, agilidade excepcional, além do excelente humor que transparecia nas risadas que se seguiam às histórias que contava.

Entre a sentença de interdição e aquele pedido, uma nova lei entrara em vigor, determinando a obrigatoriedade de reavaliação das curatelas de tempos em tempos. Muitas vezes a necessidade de um curador poderia ter cessado. Algumas doenças poderiam ter sido controladas por medicação. O objetivo era e é garantir, sempre que possível, maior autonomia às pessoas com deficiência. Fosse em outro momento, provavelmente eu teria nomeado um substituto ao curador apenas diante dos documentos apresentados. Nem me preocuparia em ouvir a interditada. No entanto, eu precisava estabelecer novos limites para a curatela, bem como constatar se havia, ou não, necessidade de outra perícia.

A advogada não conseguia esclarecer os motivos da interdição anterior. Aceitou patrocinar a ação porque era vizinha de Dalva, uma das sobrinhas da idosa. Apressou-se a dizer que raramente advogava naquela matéria. Era especialista em Direito do Trabalho e nem sequer imaginou que haveria necessidade de audiência. Surpresos também estavam os sobrinhos. Pouco sabiam do passado da única tia solteira, exceto que recebia uma pensão pela morte do pai, um servidor federal cujo salário havia sido alto, segundo eles. Quando morreu, já viúvo, as outras filhas eram casadas. Eva nunca trabalhara e fora dependente do pai por toda a vida. Não sobreviveria sem os proventos.

A solução encontrada pela família e pelos amigos foi pedir a interdição de Eva. Se comprovada a condição de incapaz, ela não teria dificuldades em se habilitar no ministério em que o pai servira e se perpetuar como beneficiária do erário público.

– Mas vocês sabiam que isso é uma fraude?

Abismados, responderam em uníssono que jamais teriam feito qualquer coisa ilegal. Eva, a mais articulada entre todos, defendeu-se sem pestanejar:

– Meu pai era um homem sério, doutora. E nossa família nunca fez nada errado. Na época, os amigos dele resolveram assim o problema. Disseram que era justo. A pensão não ia ficar para ninguém, não é mesmo? Eu não estava roubando, nem matando.

Perguntei se não havia sido feita uma perícia, folheando o processo na tentativa de encontrar um laudo. Nenhuma perícia fora feita. O prontuário juntado pelo médico na ocasião, atestando a debilidade mental grave de Eva, fora suficiente para a sentença.

– Era um médico amigo do papai. Coitado. Morreu logo depois.

Expliquei que eu só poderia manter a curatela se ficasse comprovado que ela, de fato, sofria de alguma doença que inviabilizasse a administração do patrimônio. Caso contrário, a curatela seria levantada e Eva não teria mais nenhuma restrição para praticar todos os atos da vida civil.

– Mas, doutora – interrompeu o sobrinho –, ela não tem nenhum patrimônio. A casa da família foi vendida há muito tempo. Ela escolheu o abrigo para morar porque era um bom lugar. E, agora, já está muito velha!

– Bom, não! Excelente! – emendou Eva, prosseguindo: – Calma lá! Velhice não é doença! Sou a moradora mais antiga da casa. É linda. Grande, arrumada. Nem parece um asilo. São só dezoito vagas.

Ela parecia não se abalar com a possibilidade de perder a única fonte de renda. Fiquei curiosa sobre as condições do abrigo. Por uns instantes, esqueci que estávamos em uma audiência de interdição. Frequentemente famílias pediam sugestões de local para internação; outras reclamavam dos preços inacessíveis das melhores casas. Alguns relatavam a precariedade, a sujeira e o abandono de diversos lugares que acolhiam idosos e pessoas com doença mental.

Fazia três décadas que Eva morava em uma suíte exclusiva. Fora um projeto de uma associação criada pelo pai dela para atender familiares idosos dos associados. Um retiro privado, construído em uma época em que poucos se preocupavam com o envelhecimento. Morria-se cedo antigamente. As exceções comprovavam a regra. Eva poderia ser divulgadora do lugar: contou do conforto dos quartos, da limpeza, da excelência da comida.

Eu quis saber do relacionamento entre os ocupantes da casa. A velhice não é um atributo que aglutine as pessoas instantaneamente. Cada qual tem uma história, problemas específicos, situações econômicas distintas. Não era um jardim de infância no qual a socialização acontece como um processo natural. Com certeza a adaptação não é fácil. Muitas vezes é dolorosa, em razão da solidão profunda. Eva me contou que a ocupação da casa era instável. Algumas pessoas ficavam lá por longos anos. Outras morriam logo. O mais triste era a convivência com aqueles a quem a família abandonava.

– Eu não tive filhos, mas nunca fiquei sozinha. Sou uma tia excelente, não sou?

Os sobrinhos gargalharam e assentiram. Percebia-se a funcionalidade do diminuto núcleo familiar.

– Atualmente só tem doze hóspedes.

Eva se referia ao abrigo como se fosse um hotel:

– São nove mulheres e três homens.

Na maior parte do tempo, as mulheres eram majoritárias no local. Também a velhice era desigual nos gêneros. Não faltava visita para os homens, já algumas das moças – como ela se referia às colegas – passavam meses sozinhas.

– E o que vocês fazem lá? – perguntei.

– Não temos tempo para nada! Conversamos, jogamos cartas, vemos televisão. O melhor são as festas e os namoros escondidos.

– E a senhora namora? – eu quis saber, genuinamente curiosa.

– Eu não sou mulher de desfrute! Mas tem umas histórias lá que davam um livro. Tem um coroa bem-apanhado que é disputado por duas ou três. Até briga já aconteceu por causa dele. Um dia, a mulher dele chegou de surpresa e a Irene precisou sair correndo do quarto. Um safado! Casado e fazendo sem-vergonhice.

Eva cuidava de tudo e de todos. Era confessora das amigas. Adquiriu autoridade não só porque morava lá havia anos, mas porque era a mais velha.

– Sou mais velha, mas estou melhor do que todos juntos. Uns não lembram mais de nada. Outros têm pressão alta, dor na coluna. Eu tenho sorte. Me sinto muito bem. Por isso tomo conta deles.

Eu estava pronta para me decidir a devolver a capacidade integral a quem nunca precisara perdê-la. A advogada, no entanto, insistiu em fazer uma nova perícia. Era direito dela. Eu não podia indeferir.

– Na verdade, Excelência, não temos dúvida de que ela está ótima. O problema é que, se levantar a interdição, ela perde a pensão e fica sem ter onde morar e sem ter o que comer – ponderou a advogada.

Esclareci que aquele era outro problema e que ela deveria buscar alguma providência administrativa ou judicial em outra sede, afinal, ela fora dependente a vida toda. Além disso, tinha sobrinhos generosos que gostavam muito dela. Decerto ajudariam, caso houvesse necessidade.

Na régua que escolhemos utilizar, nossas ações sempre encontram justificativas nobres. Demonizamos os erros dos outros e nos comportamos como parâmetros de correção e ética. Contudo, as gambiarras aceitas, a pretexto de resolver problemas pessoais, podem explodir em algum momento, desqualificando nossas maiores qualidades. Eu não era impoluta a ponto de julgar moralmente a conduta da família. Precisava decidir a partir dos limites da lei e da Constituição.

Com a chegada do laudo, decidi libertá-la das algemas da interdição. E torci para que ela conseguisse viabilizar sua pensão pelo pouco tempo que ainda tinha de estrada.

Somos memória

— Eu não tive filhos, doutora. Meu último marido precisou se mudar para São Paulo e eu fui com ele. Mamãe já era viúva, mas me educou para ser livre. Ela sempre foi independente. Viajava todos os anos para a Itália. A família dela era da Sicília. Acho que ela sofreu um baque muito grande há uns cinco anos. Perdeu as duas primas, que eram como irmãs, em um intervalo de quatro meses.

Até ali Donatella respondera em italiano a todas as perguntas que eu fizera. O endereço onde disse morar atualmente era o local em que vivera na primeira infância.

— Que doença é essa que deixa ela esquecer de mim e lembrar onde morava quando tinha cinco anos?

Não houve uma vez que eu me dirigisse a Donatella sem que Eunice se apressasse a responder, atropelando a mãe. Demonstrava impaciência. Estava em um lugar no qual não desejava estar e parecia querer abreviar a conversa para sair logo dali. Não era possível que eu não tivesse percebido que aquela senhora não tinha a menor ideia de nada. Óbvio que eu percebera. No entanto, nas audiências de interdição, sempre procuro desacelerar. São problemas invariavelmente graves. Deve ser terrível depender de providências burocráticas e jurídicas em momentos nos quais serenidade e paciência são fundamentais. Tento me colocar no lugar das pessoas e imagino que deva ser melhor encontrar acolhida em ambiente tão impessoal e concreto, como são as salas de audiência nos fóruns.

Eunice, porém, estava incomodada. Um compromisso profissional a aguardava, e ter ido ao Centro da cidade para aquele encontro, no meio da tarde, era um transtorno a mais que ela gostaria de ter evitado.

– Não bastava o laudo do médico atestando a doença?

Expliquei que não. Infelizmente havia pedidos de interdição desnecessários, além de algumas fraudes que impactavam a Previdência. Eunice se exasperou ainda mais. Para que ela fraudaria alguma coisa? Era filha única. Herdeira única. Ultimamente, a mãe precisava mais dos recursos dela do que vice-versa. Ela jamais teria ido à Justiça, não fosse a necessidade de vender um imóvel na serra para garantir o pagamento das despesas com cuidadores e medicamentos, aumentadas em progressão geométrica nos últimos meses.

Fui solidária. Se já era difícil nas famílias grandes tecer uma rede de cuidado para um doente com Alzheimer, como executar a dura tarefa sendo filha única, sem ninguém para compartilhar ou terceirizar a angústia e o sofrimento?

Os sinais foram chegando lentamente. E apenas três anos antes, quando Eunice se mudou para o Rio de Janeiro, a doença da mãe se instalou de forma perceptível. Há tempos Eunice tentava convencê-la a se mudar para junto dela, mas o convite era sempre rechaçado.

– Não é mesmo simples uma mudança para uma pessoa idosa. Na maioria das vezes, deixar o próprio ambiente agrava mais rapidamente o quadro – ponderei.

Eunice, um pouco mais relaxada, com os olhos marejados, sentiu-se à vontade para um desabafo:

– Eu não acompanhei o primeiro esquecimento. Me contaram que ela esqueceu a bolsa. Depois esqueceu de pagar a conta. Esqueceu o endereço onde morava e, quando cheguei, ela havia esquecido de mim. Eu morava longe. Agora sei que era um processo meu de negação. Não queria enxergar o que os fatos me mostravam.

Quando Eunice afinal compreendeu o que estava acontecendo, já era tarde. Donatella era incapaz de responder a perguntas e de explicar a própria decadência.

– Senti muito ódio. Nunca disse isso para ninguém, mas foi exatamente o que senti. Como ela podia fazer isso comigo? Me obrigar a largar minha casa, minha cidade, meus amigos? Egoísta. Sempre pensou nos desejos dela.

Eunice repetia a história, sem rancor, como se me contasse uma fábula, enquanto acariciava a mão da idosa miúda e altiva sentada a seu lado. Donatella sorria e aceitava o afago da filha em silêncio.

No começo, Eunice abandonou todos os seus projetos. Vivia em função da mãe, que pouco ou nada dependia da presença física dela.

– Eu sabia que não podia ajudar. Mas me sentia culpada de sair, trabalhar, conversar. Fui me isolando de tal forma que quase entrei em depressão profunda. Meu ex-marido me obrigou a procurar uma terapia.

O tratamento doloroso a que Eunice se submeteu foi essencial para que desenvolvesse ferramentas para lidar com a impotência. Aos poucos começou a delegar alguns cuidados. Contratou cuidadores, instalou câmeras na casa. Retomou projetos abandonados. Superada a dor aguda, o vazio provocado pela falta de memória da mãe passou à categoria de problema crônico, com o qual teria de conviver da forma menos tormentosa possível.

– A primeira vez que saí para um cinema foi desesperador. Eu não conseguia prestar atenção no filme. Me sentia fazendo alguma coisa errada, imaginando o que estaria passando na cabeça da minha mãe.

Mas nada do que Eunice fizesse ou deixasse de fazer com a própria vida impactaria a condição de Donatella. Com o tempo, a raiva e o ressentimento foram cedendo lugar à necessidade da sobrevivência. A doença, embora contaminasse a família, era exclusiva da idosa.

– Depois de um ano, consegui viajar para um fim de semana na serra com uns amigos. Na volta, estava tudo rigorosamente igual. Ela sentada, olhando para o nada, sem lembrar o que vivera até ali. Perder a memória dói mais para quem assiste ao triste mistério.

Eunice só se sentiu mais útil quando tentou parar de compreender e deixou o afeto ocupar o espaço da racionalidade. De volta ao cotidiano, não se via julgada por estranhos, cobrando que ela vivesse em tempo integral na casa da mãe. Decidiu organizar a vida incluindo Donatella nos espaços possíveis.

– Todas as quintas-feiras levo ela para jantar fora. Ela senta, fica falando italiano a noite toda. Ignora todas as perguntas e repete diversas vezes as mesmas respostas. Eu bebo uma garrafa de vinho sozinha. Rimos muitas vezes, nos calamos outras tantas. Não há mais nada que eu possa fazer.

E encerrou:

– Eu só consegui ficar perto dela quando entendi que a mãe que eu conhecia tinha morrido. E que essa nova mãe só precisava da minha presença. E do meu carinho. Aquela mãe nunca me esqueceria. Essa mãe nunca rejeitaria meu amor.

Enquanto Eunice se lembrava das histórias que a mãe esquecera, Donatella seguia viva pelas lembranças da filha. Somos não só o que lembramos, mas também o que lembram de nós.

Catarina, 85

Percebi que envelhecia sozinha porque fui perdendo a paciência com os amigos, e a família foi perdendo a paciência comigo. Não sei bem em que momento o cansaço se instalou. Quando dei por mim, não tinha mais a agilidade que costumava ter. Arrumar mala, fazer lista de compras, escolher hotéis para viagem, coisas que eu resolvia facilmente, tudo passou a ser muito custoso. Não conseguia acompanhar o tempo da vida. Era como se eu tivesse acordado em câmera lenta.

Sempre procurei me atualizar. Uso computador, celular. Frequento as redes sociais. Não sou daquelas que acham que no meu tempo as coisas eram melhores. Não eram mesmo! Digo isso para a minha bisneta todos os dias. Quem dera eu tivesse vivido com a liberdade que essa moçada vive! Aliás, ela é a pessoa com quem mais consigo conversar. Joana ainda não entrou na adolescência, mas é curiosa e entende minhas queixas sem me julgar.

Minha filha acha que pode entrar na minha casa e dar ordens. Ela tem as prioridades dela; eu tenho as minhas. Quebrei o fêmur no ano passado e, de lá para cá, junto com os ossos esfarelando, eu me sinto perdendo o controle e enfraquecendo todos os dias. Jamais quis dar trabalho a ninguém, só que eles não aceitam que eu continue morando sozinha. É minha opção, não pretendo rever isso.

Já vivi muito. Minha mãe e meu pai morreram bem mais jovens do que sou hoje. Nunca sonhei chegar tão longe. Continuo querendo não atrapalhar, porém confesso que estou exausta dessa conversa insistente para que eu me mude para a casa dos outros. É aqui que vivo há 64 anos. Conheço todos os cantos, todas as gavetas. Sei caminhar de olhos fechados sem esbarrar nos móveis. Meus gatos me fazem companhia e o porteiro tem a chave para entrar, se precisar. Mudar por quê?

Não é comigo que eles se preocupam. É com a comodidade deles. Daqui só saio para o cemitério. Eu deveria ser respeitada na minha escolha.

Coronel velho de guerra

– O Coronel morreu sozinho, coitado. Como passou da hora do sol bom para os passarinhos e ele não desceu, achei melhor bater na porta. Foi esquisito porque o menino também não apareceu naquele dia nem nunca mais foi buscar a carrocinha de algodão-doce, que ele guardava no apartamento.

– Mas, então, o senhor conhecia o Douglas?

– Claro, Excelentíssima. Era sobrinho dele. Quando ficou órfão, uns cinco ou seis anos atrás, o rapaz se mudou lá para o prédio.

O porteiro conhecia o Coronel desde que ele chegara à cidade. Fora o seu primeiro amigo por essas bandas. Já aposentado, o militar reformado passava as tardes na portaria, contando histórias sobre o tempo de caserna e a arte de treinar uma tropa obediente. Era fanático por aviões e conhecia de nome os pilotos heróis das Guerras Mundiais.

– Ele morreu de velho mesmo. Nunca perdeu o juízo, nem esquecia as coisas, não, senhora. Sabia o nome de todo mundo e era uma enciclopédia de tanto conhecimento. Pode perguntar ao Antunes, aí fora. Ele trabalha na vidraçaria lá perto e também conhecia muito o Coronel. Ninguém enrolava o velho. Tinha quase 90 anos, era o morador mais respeitado no prédio. Eu coloquei na parede da minha casa uma medalha que ele me deu. Acho que nunca conheci um homem tão importante.

Expedito, o porteiro, foi a primeira testemunha que ouvi em uma ação de anulação de testamento movida pelo sobrinho, Gervásio, único herdeiro vivo do Coronel. Ele viera do Maranhão quase quatro meses depois da morte do tio, que não conhecera em vida. A mãe dele, falecida irmã do Coronel, há muito havia perdido o contato. Não fosse uma imobiliária interessada no imóvel empreender uma busca pelo proprietário, era possível que até hoje Gervásio não tivesse aberto o inventário para receber o espólio do tio.

Foram sucessivas as surpresas de Gervásio: primeiro, a morte do parente, depois a notícia de que era herdeiro de um imóvel e, por fim, a certidão indicando a existência de um testamento, no qual se revelaria que todo o patrimônio do Coronel havia sido legado a um sobrinho de nome Douglas da Silva. Como o Coronel não tinha nenhum sobrinho com tal nome, o óbvio seria o reconhecimento de um erro.

– Eu não tenho nenhuma dúvida de que ele confundiu o nome, doutora. Não tem nenhum outro sobrinho, não – disse Gervásio.

Óbvio, claro. O problema era que realmente existia um Douglas da Silva no meio do caminho.

Douglas fora localizado em uma casa distante, no subúrbio. Aos 27 anos, trajando calça social e camisa branca, poderia ser confundido com um pastor encaminhando-se para algum culto de domingo. Cabelos oleosos e penteados para o lado, parecia um jovem de outra época. Douglas estava visivelmente desconfortável naquela mesa de audiências, e a sensação que tive foi a de que ele não compreendia nem mesmo as perguntas objetivas que eram formuladas.

Um rapaz polido, submisso e anacrônico. Não sabia ler nem escrever, fato apenas revelado quando terminou o depoimento e precisou da almofada de tinta para imprimir o polegar na assentada. Estava acompanhado de um advogado que pouco conhecia de matéria sucessória. Se o julgamento fosse feito pela aparência de ambos, a conclusão seria diametralmente oposta ao que, de fato, aconteceu.

Antunes, que trabalhava na vidraçaria em frente ao prédio do Coronel, era a testemunha seguinte. E ele confirmou tudo o que o porteiro disse.

– Nunca soube que o Coronel tinha irmã ou outro sobrinho. Ele cuidava desse menino Douglas fazia muitos anos. Era um homem bom. E um portento de conhecimento de guerra. Homem sério, doutora. No prédio, todo mundo achava ele um herói.

– E o senhor estava presente quando ele fez o testamento? – indaguei.

– Estava, sim – prosseguiu Antunes. – Fui testemunha. O Honório, dono do cartório na sobreloja, me pediu para assinar. Não tem nenhum erro, não, doutora. A surpresa é a senhora me dizer que o Douglas não é sobrinho dele.

Todas as testemunhas conheciam o Coronel. E conheciam Douglas como o sobrinho órfão a quem o Coronel ajudava.

– O rapaz parece meio confuso – disse o notário, escondendo-se de Douglas e piscando um olho para mim, enquanto girava o dedo indicador ao lado da cabeça, para insinuar que ele devia ter algum problema mental.

Naquele prédio misto, com lojas, pequenos apartamentos e escritórios, o Coronel passara as últimas décadas da vida. Uma rotina previsível, conhecida por todos, marcada por gaiolas de passarinhos ao sol. Solitário, discreto, amante de aviões e de guerras, era um contador de histórias. Detentor de uma autoridade que o acompanhara a vida toda e que suscitava respeito e admiração dos que com ele conviviam na portaria do prédio.

– O menino Douglas sempre foi trabalhador. Nunca conseguiu estudar porque era meio tapado, Excelência. Mas nunca se encostou no tio. Todo dia ele vendia algodão-doce na praça aqui perto e ia do trabalho para casa, da casa para o trabalho. Ninguém entendeu por que ele sumiu depois que o tio morreu – completou Antunes.

Terminados os depoimentos, o advogado de Gervásio perguntou:

– Não é estranha essa história, doutora? O Coronel pode ter sido vítima de alguma armação, um golpe. Isso não está cheirando bem.

De fato, algumas peças não se encaixavam, pensava eu, antes de começar a inquirir Douglas. A minha decisão, naquele processo, deveria contemplar a declaração da última vontade do Coronel. Ele vivia sozinho. Legara tudo para o sobrinho Douglas e só tinha um sobrinho biológico, herdeiro natural, Gervásio. Havia, portanto, um erro no documento: ou a qualificação de Douglas estava errada, ou o nome do sobrinho estava errado. Era o que eu precisava decidir para que o inventário prosseguisse.

– Douglas, você sabia que o Coronel tinha feito um testamento e que você é legatário?

O olhar atônito do rapaz indicava que eu falara grego. Refiz a pergunta:

– Você morava na casa do Coronel?

– Morei, sim, senhora. Uns seis anos.

– E ele disse que quando morresse o apartamento ficaria para você?

– Disse nada não.

– E por que você nunca mais voltou ao apartamento depois que ele morreu?

– Eu fiquei com medo, doutora.

Olhou, então, para o advogado dele, como se pedindo autorização para continuar respondendo. O advogado assentiu, piscando os olhos.

– Ficou com medo de quê? – insisti.

– Eu não tinha dinheiro para morar ali e não ia poder pagar nenhuma conta. Me deu medo de ir preso e então fui embora.

Douglas parecia muito ingênuo, com leve deficiência, imperceptível no silêncio, e completamente ignorante quanto a seus direitos. Que golpe era esse em que o beneficiário do patrimônio só viera à Justiça quando chamado pelo autor do processo? Se Gervásio era o único parente vivo do Coronel, qual a finalidade de um testamento, se, como herdeiro natural, seria dele o imóvel? Insisti com Douglas para compreender as razões pelas quais o Coronel deixaria a herança para ele, sem qualquer comunicação ou esclarecimento enquanto vivo. Sem graça e orientado pelo advogado, Douglas falou baixinho, olhando para a mesa:

— A gente vivia em união.

— Desculpe, Douglas, mas não entendi o que você disse. Pode repetir?

— A gente vivia igual marido e mulher, só que sem mulher.

A incredulidade dos amigos que permaneceram na sala de audiências para presenciar o deslinde da questão e a perplexidade do sobrinho foram expressas na interjeição curta e grossa do tabelião:

— O Coronel era uma bichona?! Não é possível!

Repreendi o notário e me convenci da última intenção do Coronel, documentada no testamento. Aprisionado no armário do preconceito e dos segredos, nunca conseguiu assumir seus desejos. Precisou morrer para que sua orientação sexual fosse revelada a fórceps. Mais de oito décadas de vida e a proximidade da morte foram insuficientes para que ele admitisse publicamente sua sexualidade. O agradecimento ao afeto iletrado, desinteressado e ingênuo veio em forma de patrimônio, linguagem que ele dominou e conheceu pela vida. O Coronel perdeu a oportunidade de viver os novos tempos de liberdade e, trancado no caixão, me ensinou quão pouco sabemos de passarinhos, de armas e de algodões-doces.

Fantasmas, medos e escolhas

Os filhos e os amigos tinham certeza de que Haroldo não sobreviveria sem Sueli. O casal era referência para todas as hipóteses em que a exceção confirma a regra. Começaram a namorar na adolescência. Cursaram Direito juntos, e juntos trabalharam por toda a vida. Atravessaram as dificuldades que todos os casais costumam atravessar na longa convivência, contiveram a turbulência pelas sólidas paredes do lar. Tinham muitos amigos. Participavam de um grupo na Igreja Católica para orientação de noivos e encontro de casais.

Com dois filhos, dois netos e uma neta a caminho, Sueli fora surpreendida com um nódulo no pulmão em um exame de rotina. Daquele dia em diante, não houve uma manhã em que ela não se questionasse por ter deixado que fizessem o exame. Embora soubesse que o câncer já estava agindo no seu corpo, foi a partir da revelação que a pior experiência de sua vida teve início. Era como se a ignorância a protegesse.

Ela queria viver e é óbvio que acreditava na possibilidade de cura. A ciência tinha avançado. Havia remédios potentes.

Ela podia contar com o amor companheiro de Haroldo, além da presença carinhosa dos afetos que construíra pela vida. Mas, como costumava repetir, passar pelo momento da dor aguda e da consciência da doença era fácil. Difícil era anoitecer e amanhecer com o problema estabelecido. Na família, cada qual tinha suas ocupações. A vida seguia o fluxo, apesar dos nódulos e das células perversas que se multiplicavam e invadiam outras células alastrando o sofrimento. Mesmo os filhos, sempre disponíveis e atenciosos, precisavam cuidar das próprias casas e dos filhos, ainda pequenos.

Após dois anos de quimioterapia, intervalos, novos exames, novas expectativas, outras tentativas, o câncer, aquele fantasma terminal, transformou-se em doença crônica. Quase não suscitava mais em ninguém alguma preocupação em especial. Exceto para Sueli. E era para Haroldo que ela confessava seus medos, sua desesperança e os pesadelos mais angustiantes. Entrava e saía do hospital como quem dá uma caminhada pelo calçadão. A naturalidade que a rotina da doença imprime à vida desafia qualquer compreensão racional, sobretudo quando o doente não faz da dor a razão da existência, caso de Sueli. Ao contrário, ela e o marido tentavam blindar os filhos e os amigos dos impactos e dos efeitos colaterais do tratamento.

Infelizmente, a fé não estanca a deterioração. A última internação, antes da morte, durou quase três meses. Noventa dias de interminável padecimento, nos quais, ao lado de Sueli, Haroldo rezava para que Deus a levasse e desse fim ao sofrimento. Foi, entretanto, impossível convencer os filhos de que não deveriam prolongar a vida da mãe além do necessário.

A ida para a UTI, onde passou sozinha seus últimos quinze dias, foi uma decisão da filha em uma madrugada na qual Haroldo dormira em casa.

A prorrogação da vida da mulher que amava, cuja partida poderia ter acontecido em horas, foi a pior experiência de Haroldo no processo já tão sofrido. Ele não tolerava a ideia de que ela, em coma e respirando por aparelhos, tivesse que ficar a maior parte do tempo cercada de barulhos, cheiros, sinais e pessoas que jamais fizeram parte da sua história.

Dez anos depois, a lembrança da perda ainda machucava, mas não provocava a paralisia inicial nem a sensação de que a sobrevivência só seria viável a dois. Fora um luto penoso. Eles tinham vivido o que fora possível viver. Da vida, extraíram a melhor parte, mesmo nos momentos difíceis. Como Haroldo repetia nos grupos que continuava frequentando, perder alguém quando existe algum ressentimento ou mágoa deve ser insuportável. A morte chega para todo mundo – ele explicava –, mas a possibilidade de recompor o que não foi recomposto em vida torna a morte diferente. Deve ser assim o Purgatório, pensava.

– Se estou contando toda essa história, Excelência, é para que eles entendam e respeitem a minha decisão. Ou será que, depois dos 80 anos, eu não tenho o direito de escolher o que devo fazer da minha própria vida?

Haroldo também estava com câncer. Como se recusava a se tratar, os filhos tinham ajuizado uma ação a fim de obrigá-lo a se submeter ao tratamento. Por isso estávamos ali. Assim, a longa história que Haroldo acabara de contar não era para reviver o passado nem para suscitar piedade. Foi a forma que encontrou para estancar, de uma vez por todas, a expectativa dos filhos, especialmente da filha, de que ele se submetesse a uma intervenção cirúrgica.

Dois meses antes, Haroldo fora acompanhado da filha a uma consulta e soubera pelo médico que as dores abdominais que sentia eram resultado de um tumor operável e com indicação quimioterápica. Nem pestanejou. Muito menos se desesperou. Foi categórico ao afirmar que não faria tratamento nenhum.

A filha chorou muito e foi auxiliada pelo médico, que tentou minimizar o impacto da notícia esclarecendo que ele deveria pensar com calma, porém com alguma urgência. Quanto mais rápida a intervenção, maiores as probabilidades de cura.

Desde então, não houve um dia em que ela não insistisse invasivamente, e não houve um dia em que ele não recusasse tranquilamente, convicto de sua escolha. Sem sucesso nas intervenções, a filha procurara o médico sem o pai e, após a conversa, convencera-se de que a atitude dele poderia ser resultado de algum tipo de depressão. De toda forma, o profissional reafirmou que a decisão cabia a Haroldo.

Angustiada, ela procurou o irmão e ambos entenderam que o melhor a fazer seria obrigar o pai a se tratar. Ele tinha uma razoável saúde, havia boas perspectivas de sucesso e, aos 84 anos, era nítido que ele se sentia vulnerável para compreender a intensidade do boicote que se impunha. Foi quando formularam um pedido de curatela parcial.

Na audiência, os três estavam presentes e não percebi nenhum indicativo de que Haroldo sofresse de qualquer provação de suas faculdades mentais, tampouco que estivesse com depressão. Era um homem velho, lúcido e dono da própria vontade. Não um suicida que resolve morrer para impingir sofrimento aos familiares. Diante da clareza com que expunha sua vida e seus problemas, extingui o processo ainda na audiência. Não sem me colocar no lugar da filha, que desejava ter a companhia do pai por tantos anos quanto fosse possível. Fui solidária a ela durante toda a condução da audiência, o que não deve ter passado despercebido por Haroldo.

Em nenhum momento tive coragem de sugerir a ele que revisse sua decisão. Era uma escolha difícil, íntima e pessoal, feita por um homem com total capacidade e discernimento. Não caberia uma intervenção do Estado, a meu ver, para constrangê-lo. Comovido pela reação da filha, a quem em nenhuma hipótese gostaria de magoar, e decerto avaliando minha profunda tristeza diante da impotência de fazer justiça naquele caso, Haroldo nos tranquilizou:

– Eu não sou um homem que despreze a vida. Nem quero deixar de viver. Só preciso que você entenda, meu amor – disse olhando para a filha –, que vivi muito bem todos esses anos, e que quero viver muito bem o tempo que ainda tenho. Aceitar fazer a cirurgia e o tratamento é abrir mão da qualidade de vida que quero ter todos os dias. Você vai me entender e vai me respeitar. Que médico tem bola de cristal para adivinhar o que vem por aí?

Haroldo aproveitou para explicar aos filhos que, desde a partida de Sueli, fizera um testamento vital, pelo qual se recusava a ser submetido a qualquer prolongamento que lhe impusesse sofrimento em caso de doença. A decisão não pareceu resultar de bravata, medo ou insegurança.

Depois que os soluços diminuíram e a conversa amenizou, com a intervenção até então silenciosa do filho, que mediou lindamente o pai e a irmã, os três deixaram a sala de mãos dadas. Não conseguirei entender o que é chegar aos 84 anos exceto se tiver a sorte de viver até lá. Embora eu conviva com a certeza da morte e do fim do ciclo da vida, tenho a sensação de que há fantasmas e medos que se dissipam com o tempo. Haroldo parecia saber lidar com eles, enfrentando-os, e não abrindo mão da sua autonomia nos momentos mais difíceis.

Paixão
a crédito

Aurélio era um caso raro de homem que sobrevivera sozinho ao fim do casamento. Trinta anos após a separação de Judith, primeira e única esposa, orgulhava-se de nunca ter cedido à tentação de novas núpcias. Poucas vezes se apresentava desacompanhado, mas ostentava com orgulho o estado civil de divorciado. Talvez a condição lhe garantisse certo ar de carência e desamparo, atributos irresistíveis para as inúmeras seduções ao longo da vida.

  A reaproximação dos filhos ocorreu com a morte da ex-mulher. Nunca ficaram amigos nem se viam com frequência. Ela quis se separar e pouco tempo depois já morava com outro homem. Um processo complicado. Ele não se comportou como o traído ressentido, mas o divórcio impactou de modo profundo as relações patrimoniais do casal. Os filhos, na época adolescentes, acompanharam o desgaste. A solidariedade à mãe, parte mais frágil da relação, na opinião deles, foi inevitável, muito embora tivesse sido ela a causadora da ruptura.

Quando Judith adoeceu, já viúva do segundo companheiro, os filhos contaram com a generosa e surpreendente presença do pai, pródigo no pagamento das despesas médicas. Aparentemente, uma forma de compensar a partilha desigual depois de três décadas. Mauro e Virgínia, agora adultos e financeiramente independentes, apreciaram mais o resgate afetivo do que o auxílio, importante, porém não essencial no contexto. Judith ficou um tempo internada antes de morrer. Desde o hospital, passando pelo velório e pela cerimônia de cremação, a família parecia bastante unida. Era impossível dizer que Aurélio e Judith haviam vivido mais tempo separados que juntos. Era como se a solidariedade afetiva, que reunira a família no ninho em momento de dor, fosse mais potente que as rupturas e abismos do passado.

Nem todos são brindados com tamanha sorte. Na maioria dos processos, o que se vê são pontes explodidas e navios queimados, com ressentimentos se perpetuando por gerações e gerações em inventários intermináveis. Muitas vezes, é na morte de um parente que explodem os ciúmes e as invejas, aprisionados e contidos pelo olhar de quem se responsabilizava pelos cuidados materiais e pela preservação dos vínculos. Quando o coração do sentinela da família deixa de pulsar, a liberdade para odiar se torna indomável.

Aquela família, no entanto, era mais funcional. Cada qual trilhara sua vida nos anos seguintes administrando a dor da perda. Não perceberam o súbito declínio de Aurélio, agravado nos seis últimos meses. Os exames não acusavam nenhuma doença nem qualquer quadro preocupante. Mauro e Virgínia tentaram adivinhar o que poderia estar acontecendo. Havia pouco mais de um ano, Aurélio aposentara-se e começara a se distanciar dos filhos e netos. Não tinha tempo para os fins de semana nem para os convites sociais familiares.

Não demorou para que o relacionamento com Amelinha fosse conhecido por todos. O primeiro a saber foi Mauro. Aurélio mesmo encarregou-se de contar. Mauro achou que não precisava revelar o fato para a irmã, afinal, a namorada do pai era uma mulher madura, viúva, de 63 anos. Nada que, na opinião dele, ameaçasse o equilíbrio de Aurélio. Ao contrário. Agora que ele se aposentara, aos 72 anos, era bom que tivesse uma companhia constante. Achou o pai empolgado, encantado com a nova parceira.

Foi só quando, por acaso, Virgínia encontrou o pai muito nervoso, no banco onde ambos tinham conta, é que o sinal amarelo começou a piscar. Ela resolveu esperar que ele falasse com o gerente. Ele disfarçou, foi ao caixa eletrônico e saiu apressado, para que a filha não percebesse que havia algo errado. Ela não pôde deixar de notar a piscada de olhos entre o pai e o bancário. Pai e filha saíram juntos, ante a insistência dele para que fossem embora rapidamente.

Meia hora depois, Virgínia voltou ao banco, mas os argumentos do gerente de que não poderia divulgar nenhuma informação sobre a movimentação financeira de Aurélio não convenceram a moça. Dali ela saiu direto para a casa do irmão. Surpreendida com a notícia da existência de uma nova namorada, apressou-se a responsabilizar essa paixão tardia pelo desequilíbrio paterno. Estimulado por Mauro, Aurélio concordou em apresentar Amelinha à família. Combinaram um almoço num fim de semana na casa da filha. Depois da sobremesa, do café, do licor, o casal foi embora. Amelinha ainda precisava visitar o irmão, que vivia sozinho em um bairro distante.

O prato principal só foi servido mais tarde: diante dos filhos, da nora e do genro, Virgínia e Mauro destrinçaram Aurélio até a alma. Era como se falassem de alguém que não tinha voz, sentimentos ou desejos. Como se Aurélio, ao envelhecer, tivesse passado de sujeito a objeto de críticas e debates familiares. Mauro defendia o direito do pai de namorar quem ele quisesse. Virgínia tinha certeza de que a mulher não era boa pessoa:

– Vocês viram como papai olhava para ela o tempo todo? Não falava uma vírgula sem a autorização dela. Está na cara que ele está totalmente dominado.

O marido de Virgínia concordava com Mauro e atribuía a reação a ciúmes da própria esposa:

– Que mal tem o doutor Aurélio fazer o que tem vontade? Ele é sozinho, é livre, tem autonomia. Não dá trabalho a ninguém da família. Se vocês tivessem um pai como o meu, que precisa de mim para pagar o que come, vocês teriam motivo para se preocupar!

Foi graças à insistência intuitiva de Virgínia que, finalmente, descobriram o tamanho do rombo no qual Aurélio estava enterrado. Por mais que Mauro defendesse o relacionamento afetivo do pai, Virgínia divergia e passou a visitá-lo em horários inesperados. Em uma tarde, depois que o pai saíra, deixando a faxineira em casa fazendo o serviço, Virgínia apareceu e soube, por ela, que eram frequentes as investidas do irmão de Amelinha para conseguir empréstimos com Aurélio.

– Eu não queria contar nada para vocês porque o doutor Aurélio me proibiu de falar e até disse que eu perdia o emprego se não ficasse quieta. Esse homem, irmão daquelazinha, não vale nada. Já vi ele tratando seu pai como não se trata um cachorro. Nunca tinha visto isso na minha vida.

Ignorando todo o respeito que nutria pela intimidade do pai, Virgínia descontrolou-se de tal forma que abriu gavetas, armários e, por meio de um extrato e de várias cartas de cobrança, soube que o pai contraíra uma dívida impagável no banco. Confrontado com a realidade, envergonhado, após negar e resistir várias vezes, finalmente Aurélio admitiu que, para não contrariar Amelinha, mulher por quem estava apaixonado como nunca estivera na vida, quis ajudar o irmão dela.

Depois, aos poucos, ele percebeu que podia estar sendo usado pelos dois, mas era tarde. Ele não sabia o que o devastava mais: iludir-se com uma paixão que nunca existira ou sentir-se constrangido porque estava velho e fora enganado. Queria muito ter poupado os filhos dessa humilhação.

Mesmo após muita troca de e-mails e de reuniões com o gerente do banco, Mauro e Virgínia não conseguiram reduzir os valores da dívida. No entanto, pelo conteúdo da correspondência, ficava claro que Aurélio, vulnerável, fora estimulado e até encorajado pelo funcionário da instituição a tomar um dinheiro que ele jamais pagaria, comprometendo parte significativa de seu patrimônio. Antes da ação de revisão do contrato, decidiram então pedir a interdição do pai, por prodigalidade.

Na audiência, diante de um Aurélio velho, triste, amuado, mas lúcido e orientado, vi que não havia nenhum motivo para a interdição. Ele não distribuía dinheiro, não gastava mais do que ganhava. Fora um episódio pontual. O namoro rompido o deixara ainda mais arrasado. Não era preciso que Aurélio fosse considerado incapaz para buscar a indenização a que tinha direito como consumidor.

Esclareci a todos os motivos pelos quais eu não acolheria o pedido. Encorajei-os a buscar a reparação. Eram inúmeros os processos nos quais os bancos, aproveitando-se da vulnerabilidade dos idosos, acenavam com aplicações irrisórias e empréstimos consignados desnecessários. Sem falar em investimentos, cujos resgates só seriam possíveis com a invenção da fórmula da imortalidade.

Tentei aliviar o sentimento de vergonha que Aurélio ostentava. A questão do dinheiro, ele resolveria por meio do processo adequado. Quanto ao amor, era normal que sujeitos apaixonados fizessem muitas bobagens ao longo da existência. A pessoa apaixonada é privada da racionalidade e se torna vulnerável em qualquer fase da vida. Não era justo que, na velhice, as paixões se confundissem com decadência e incapacidade. Qual a diferença entre os apaixonados aos 18 e os apaixonados aos 80?

" Heraldo, 79 "

Nunca comentei isso com ninguém, mas sabe que eu sinto vergonha de estar velho? É estranho porque, racionalmente, não era para ser assim. Vivi uma vida muito boa até aqui. Me formei, trabalhei, casei, tive filhos, netos, nunca dei trabalho a ninguém. Minha saúde é de ferro. Sempre me cuidei. Nunca fumei, bebia pouco, faço exercício até hoje. No dia em que senti a dor no peito, pensei em tudo, menos em infarto. Achei que era muscular, demorei a procurar um médico.

– Como é que pode infartar com todos os exames em dia?

Todo ano, quando fazia o checkup, eu parecia aluno pegando o boletim de aprovação. Não imaginava que podia acontecer nada errado até o ano seguinte. Meu filho é médico e foi o primeiro a entrar no quarto, depois da cirurgia para a colocação dos stents. Quando olhou para mim, me deu vontade de chorar. Senti vergonha, muita vergonha. Um pai não tem o direito de fazer um filho sofrer assim. Ele tentou fingir que estava tudo normal, que não estava preocupado, mas filho a gente conhece, não é? Aqueles olhinhos dele eram os mesmos de quando sentia medo em criança. Ele não me engana.

    Já me recuperei. Voltei à vida normal. O problema é que ficou tudo diferente. Agora sei que posso morrer a qualquer hora e que posso ficar doente também. Na verdade, sempre foi possível, só que hoje em dia penso nisso o tempo todo. Não era para sentir vergonha por causa disso, mas é o que sinto. Ficar velho é uma vergonha.

Às vezes dá certo

Trinta e cinco anos depois do segundo casamento, Jair ficou viúvo. Foi uma partida inesperada. Elza era nove anos mais jovem que ele e nunca apresentara nenhum problema de saúde. Mesmo com todos os exames em dia e a pressão aparentemente controlada por medicação, um acidente vascular irreversível a levara para a UTI e, em menos de dez dias, para a sepultura.

A morte é sempre surpreendente e é incrível a capacidade que temos de acordar, dormir, fazer planos, amar e brigar como se fôssemos eternos. Morrer, aos 79 anos, sem avisos ou notificações, parecia uma anomalia, especialmente naquela casa, onde havia anos se esperava a partida de Jair. Hipertenso, diabético e começando a dar sinais de senilidade e esquecimento, era ele o objeto de preocupação familiar. Como ficaria, agora, sem os cuidados da esposa?

Quando Elza, viúva precoce do primeiro marido, casou-se com Jair, o filho dela, João, tinha pouco mais de três anos. Quase a mesma idade de Maria Pia, filha única de Jair, fruto de um casamento terminado em uma desgastante separação. Maria Pia e a mãe dela continuaram morando em Vitória. Jair mudou-se para o Rio, onde Elza morava. Com o novo casamento, acolheu e tratou João como filho. Sempre que perguntado sobre a sua prole, mencionava apenas a existência do menino.

Da mãe de Maria Pia nunca quis ouvir falar. Foram décadas de comunicação por meio de processos e advogados. Pensão alimentícia, partilha de bens, os dias e anos se interpondo entre o ex-casal e o desamor impedindo qualquer convívio afetivo com a filha. A distância geográfica foi a desculpa conveniente para aplacar a culpa do pai.

João fez o que estava a seu alcance para zelar pelo padrasto. Recém-casado, revezava-se nas tarefas profissionais e no atendimento a Jair, que continuava na casa em que sempre vivera com Elza. Não era possível para João visitá-lo todos os dias. Nas últimas vezes, saíra de lá preocupado com a solidão, as confusões do padrasto com a medicação e seu estado alterado. Precisava abrir o inventário da mãe e percebeu que Jair não tinha nenhuma condição de tocar a sua vida patrimonial.

Procurou o médico e soube que o quadro dele era irreversível. Tinha que decidir sobre tratamentos e sobre a interdição. Era muita responsabilidade para suportar sozinho. Embora João o amasse como a um pai, Jair tinha 88 anos e uma filha, que também deveria se responsabilizar pelas escolhas e avaliar as intervenções necessárias. Ligou para Maria Pia, que não via o pai há quase trinta anos.

A filha, ainda abalada com a morte recente da mãe, fato desconhecido por João, foi solícita ao chamado. Não tinham intimidade, mas eram adultos e viviam perdas similares, o que facilitou o diálogo. Ela estava mesmo pensando em se reaproximar. Divorciara-se do segundo marido, não tinha filhos e o emprego burocrático que exercia não era impedimento para que se mudasse para o Rio.

Na primeira tentativa de visitar o pai, tão logo se estabeleceu na cidade, foi muito mal recebida. Agressivo e agitado, Jair recusava qualquer contato com a filha. João, inicialmente aliviado com a proximidade de Maria Pia, viu-se obrigado a proteger Jair. Era o único pai que conhecera e não permitiria que a presença dela agravasse a condição do padrasto. O contato foi bruscamente interrompido também porque Maria Pia procurou outro médico, alterou toda a medicação do pai, mudou-se para perto da casa dele e ingressou com um pedido de interdição na Justiça.

Na audiência para ouvir Jair antes de decidir sobre a nomeação de um curador, João e Maria Pia, sentados um de cada lado da mesa, destilaram ódio pelas retinas nas poucas vezes que se olharam. Jair entrou sozinho e se sentou ao lado de João, parecendo mais carrancudo e mal-humorado que desorientado.

– Felizmente ele acertou os remédios, doutora. Melhor ele zangado do que desmaiado – disse Maria Pia, alfinetando João e apressando-se a explicar que o antigo médico estava velho e o tratamento ultrapassado deixava o pai prostrado a maior parte do tempo.

Jair estava em melhores condições, como atestava João. Contudo, a situação mental continuava a impedi-lo de gerir adequadamente sua vida patrimonial. Já não distinguia o valor do dinheiro e não conseguia se orientar no tempo e no espaço. Na época, a interdição era necessária. Com a pouca lucidez que ainda tinha, gastou grande parte da audiência destratando a filha. Desprezava todas as tentativas de acolhimento carinhoso. Repetia que só aceitava um curador se fosse João.

— Essa aí é igualzinha à mãe! Não vale nada! Só quer o meu dinheiro!

Até para um velho com doença mental aparente, a agressão era excessiva. Maria Pia desabou a chorar e, soluçando, implorava a ele que a escutasse:

— A vida toda eu esperando você! Mesmo com tudo que minha mãe falava a seu respeito eu nunca, nunca acreditei! Tinha certeza de que um dia a gente ia se encontrar e você ia me explicar tudo. Ia me abraçar, dizer que me amava! Quando o João me telefonou, eu não pensei duas vezes. Larguei tudo e vim cuidar de você. Mas agora sei que minha mãe estava certa. Você é uma pessoa horrível! Intratável!

João interveio em socorro de Maria Pia, que ali parecia uma criança desamparada, fazendo ceder, assim, a tensão inicial entre os dois. Era óbvio que ele não queria ocupar o lugar da filha. Tanto que partira dele o convite para que ela visitasse o pai no Rio.

— Mas dá um desconto para ele... Ele está velho, doente...

Jair não colaborava. É verdade que aquela reação violenta podia decorrer apenas da doença, mas o divórcio de mais de quarenta anos atrás era visivelmente uma chaga ainda inflamada.

— Sua mãe acabou com a minha vida — ele esbravejava, impedindo que a filha parasse de chorar ou que contasse sobre a morte da mãe.

A grosseria com que Jair tratava a filha fez com que eu interferisse:

– O senhor sabe que eu sou juíza? Sabe o que está fazendo aqui?

Ele assentiu com a cabeça. Prossegui:

– Eu percebo que o senhor entende exatamente o que estou falando. Não vou admitir que o senhor se dirija à sua filha dessa forma. Seja lá o que aconteceu na sua separação, ela só tinha cinco anos! É muito triste que o senhor tenha vivido tanto tempo e não tenha aprendido a ser compreensivo e generoso.

– Aquela mulher acabou comigo... A senhora não tem ideia do que ela me fez passar...

Jair entendia, nos parênteses de lucidez, que precisava de um curador. Queria que João exercesse o papel. Um pouco contrariada, Maria Pia concordava que fosse assim, desde que ela pudesse entrar na casa do pai sempre que quisesse visitá-lo, o que era negado com vigor pelo velho.

– Eu já disse que não quero, porque a jararaca está por trás disso!

Interrompi e concluí:

– Apesar de não conviver com o senhor, a Maria Pia deixou tudo o que estava fazendo para ficar por perto. O senhor deveria agradecer. O que mais temos por aqui são histórias de abandono. Se o senhor não quer ser razoável, quem vai mandar sou eu: nas terças, quintas e domingos, sua filha vai à sua casa. Se o senhor quiser aproveitar o presente que a vida está lhe dando, ótimo! Se não quiser, fique de costas, virado para a parede e de mau humor. Infelizmente o tempo não traz sabedoria para todos.

Assinada a ata de audiência, Maria Pia e João já deixavam a sala, quando Jair, voltando-se para mim, disparou:

– Se a cascavel aparecer, eu boto ela para correr!

Fiquei imaginando que dureza deve ter sido a separação, para que ele, já confuso em razão da doença, chegasse quase aos 90 ainda se envenenando de ressentimento. Pisquei o olho para ele e, numa derradeira tentativa, orientei:

– Cuide da sua filha! A mãe dela nem deve saber que ela quer ficar perto do senhor.

Fui para o gabinete, refletindo sobre as minhas fantasias acerca da ação do tempo no nosso caráter. A velhice não nos deixa necessariamente mais sábios nem mais compreensivos. A promotora, que também estivera na audiência, entrou chorando na minha sala, mensageira da boa notícia:

– Eles estão se abraçando no corredor! Acredita?!

Nem sempre é assim. São raros os finais felizes, mas, às vezes, num corredor, a vida dá certo.

Vivendo e aprendendo

— A senhora acha que eu vou aceitar essa proposta indecente? Eu não sou moleque nem safado. Se estou perdendo um dia de trabalho e estou aqui é porque tenho certeza do que estou falando. Na vida toda nunca faltei ao emprego.

José Alberto já havia recusado a proposta da empresa de telefonia na audiência de conciliação, sugestão novamente formulada e, uma vez mais, repelida.

— Mas a conta de telefone é 1.400 reais e a empresa aceita receber 300 reais para acabar tudo agora. O senhor não acha que é um bom acordo? – insisti.

— Bom acordo é eu pagar o que devo. A assinatura básica e só. Por que é que preciso concordar com isso? Pago o que gastei. Mais nada.

José Alberto trabalhava em uma cidade próxima. Funcionário público, saía de casa todos os dias às 6h45 da manhã e retornava às 20h45. Os detalhes com que narrava a rotina e a previsibilidade dos passos do cidadão me levaram a intuir as razões pelas quais o casamento dele havia terminado depois de poucos anos. Nenhuma mulher suportaria tantos compromissos com hora marcada para começar e terminar.

Metódico, burocrático, repetia os artigos do Código de Defesa do Consumidor e os incisos da Constituição Federal que decorara desde o ajuizamento da ação. Como não era necessária a presença de um advogado nos Juizados Especiais, ele assumira o processo como se tivesse formação acadêmica. Camisa social impecavelmente passada e arrumada para dentro da calça de cós alto, as unhas feitas com um brilho discreto de esmalte incolor, nenhum fio de cabelo fora do lugar. A voz monocórdia me distraiu do conteúdo que ele declamava, e naquele curto espaço de tempo reparei tais detalhes, em geral imperceptíveis ao meu olhar.

O perfil de José Alberto aguçou meu preconceito. Parecia um daqueles personagens capazes das maiores indignidades, apesar da aparência impoluta. A necessidade que sentia de verbalizar suas qualidades e o rigor com que esperava o cumprimento literal da norma o transformavam, nos devaneios das minhas ideias preconcebidas, em um daqueles falsos moralistas que nos acostumamos a ver encarnados nos "homens de bem" de Nelson Rodrigues. Além do mais, era chatíssimo, querendo me ensinar como conduzir a audiência.

Se fosse tão simples a aplicação das leis, nem precisaríamos de juízes. Bastaria um computador, duas versões, e a sentença sairia pronta para ser executada. Se eu perdia tempo na ocasião era porque achava possível encontrar uma alternativa consensual menos desgastante para os envolvidos. Mas ele não queria papo. Sem acordo, era preciso ouvir as testemunhas que ele, o autor, arrolara para provar as suas alegações.

A extensa conta telefônica tinha inúmeras ligações demoradas para São Tomé e Príncipe, local de onde ele afirmava não conhecer ninguém. As chamadas feitas durante a tarde, conforme o extrato da conta telefônica, haviam saído do aparelho fixo da casa de José Alberto. A petição inicial informava que ele vivia sozinho. A mãe dele e a empregada eram as pessoas que seriam ouvidas.

Nazareth, a faxineira, uma senhora de meia-idade, foi a primeira a entrar, confirmou que três vezes por semana permanecia na casa do patrão.

– Nunca usei o telefone dele, não, senhora. Fiquei ofendida quando ele perguntou se eu levava alguém pra lá. Só não larguei o emprego porque a mãe dele me pediu. Eu trabalho pra ela há quase trinta anos, tadinha. Fiquei com pena. Ela é uma mulher muito humana e muito digna. Na casa do seu José eu trabalho há uns dez anos, desde que ele separou e foi morar do lado da mãe. Nunca peguei um biscoito pra comer. Como é que eu ia ligar pra um lugar que eu nem sei onde é?!

Nazareth foi firme e convincente no depoimento que prestou. Enquanto dona Lili, a mãe de José Alberto, se acomodava na cadeira, voltei a insistir com ele:

– O senhor empresta a chave do seu apartamento para mais alguém?

Dona Lili não deixou que ele respondesse. Explicou que morava no apartamento ao lado do filho. Quando ele se divorciou, ela estava com mais de 70 anos e enviuvara havia pouco tempo. Foi conveniente para ambos a proximidade das residências. Um atendia o outro. Com boa saúde, saía pouco e cuidava das roupas e da alimentação do filho único. Dona Lili, agora aos 82, parecia uma velhinha saída de um álbum de fotografias. Bochechas rosadas, cabeça prateada, olhos claros, gordinha, afável e bem-humorada, antecipou a resposta:

– Ninguém entra na casa dele não, doutora. Eu mesma cuido de tudo. Quando a Nazareth chega, eu fico o tempo todo lá, e durante as tardes volto para a casa dele para ver TV. Minha televisão é muito pequena e ele é um filho muito bom. Sempre quis me dar uma nova de presente, mas não gosto de desperdício. Se tem o aparelho na casa dele, para que outro, não é?

Antes de dona Lili começar a prestar depoimento oficialmente como informante, dirigi-me ao advogado da empresa de telefonia e insisti:

– Doutor, o senhor não percebe a falta de sentido disso aqui?! Seguramente foi algum erro do sistema. A casa fica vazia. Nenhuma dessas senhoras tem amigos na África.

Constrangido, o advogado esclareceu que as ligações, embora listadas como chamadas internacionais referiam-se, na verdade, a um serviço de telessexo, o que deixou José Alberto ainda mais indignado. Enquanto ele aumentava o tom da voz, uma gargalhada da mãe o interrompeu. Com os olhos arregalados ela interpelou o filho:

– Por que é que você não me disse que era isso?! É aquele lugar que a gente liga e eles falam um monte de bobagens?!

Perplexo, Alberto não queria acreditar. Não sabia como prosseguir nem o que falar. Perplexa também fiquei eu, mas precisava fingir naturalidade para encerrar a audiência:

– Então a senhora sabia que estava ligando para fora do Brasil, dona Lili?

Ela não sabia. Sozinha diante da TV, viu o anúncio durante a tarde. Aguçada pela curiosidade, ligou para o número que aparecia piscando na tela.

– A senhora precisava ouvir as histórias, doutora! Com mais de 80 anos, eu aprendi coisas que nem sonhava que existiam. Achei engraçado e comecei a ligar todo dia. A senhora sabe que até fiquei amiga de uma moça? Ela disse que minha voz era muito bonita e que se eu quisesse podia até fazer o trabalho dela.

Dona Lili contava a experiência às gargalhadas, para desespero do envergonhado filho. Fiquei encantada com a liberdade da descoberta e o despudor com que aquela senhora lidava com o erotismo e as curiosidades. Demorei a entender como José Alberto, tão certinho, tão previsível, podia ser filho de uma pessoa tão divertida e libertária.

Na sentença, anulei a cobrança. Ainda que as ligações tivessem sido feitas, não havia qualquer informação ao consumidor de que as chamadas eram internacionais. Da mesma forma que dona Lili fora seduzida pelo poder da propaganda, poderia ter sido uma criança, se assistisse ao anúncio na TV aberta durante a tarde. José Alberto deixou a sala mudo, ainda mais engomado. Dona Lili precisava encontrar outros divertimentos mais baratos para as tardes solitárias. E eu aprendi, uma vez mais, que preconceitos não são bons conselheiros para se encontrar uma decisão minimamente justa.

Arrogância anacrônica

Velhice é um tempo de subjetividades. Um indivíduo não envelhece da mesma forma que outro. Não há igualdade, muito menos padrão comparativo. "Adivinhe a minha idade?" – eis uma pergunta difícil que não deveria ser formulada. Se a resposta for superior à realidade, corre-se o risco de ser grosseiro; se a tática for diminuir os anos para angariar simpatia, periga parecer cínico. Se já era difícil ser preciso quando as classificações etárias eram mais planas, atualmente é uma missão impossível para qualquer profeta bem treinado.

Recursos tecnológicos, acesso à saúde e o conforto que a vida patrimonial pródiga oferece para uns, e não para todos, transformam pessoas da mesma idade em seres distintos e com problemas bastante diferentes. Mesmo no caso de irmãs gêmeas univitelinas, os efeitos da vida experimentada por cada uma impedem que as mesmas plásticas e o mesmo botox as deixem idênticas, como na infância e na juventude. As rugas são histórias pessoais e intransferíveis, como impressões digitais.

Daí a dificuldade para perceber que Paulo Henrique, um homem altivo, elegantemente trajado, de voz firme e postura invejável, tivesse quase quinze anos a mais que Joaquim. Aos 73 anos, Joaquim parecia pai de Paulo Henrique. Mãos calejadas e secas, camisa amarfanhada e manchada de café, unhas e cabelos amarelados, ele não tinha dinheiro para pagar um advogado. Era assistido pela Defensoria Pública.

Ambos moravam no mesmo bairro nobre – Paulo Henrique, em uma cobertura, e Joaquim, em uma casa de zelador de um condomínio – e poderiam passar pela vida como dois estranhos, não fosse a batida de carro que resultou em ferimentos leves, para sorte de ambos, e em uma avaria na porta dianteira do carro esporte novíssimo dirigido pelo mais rico. Naquela semana, eu participava de um mutirão de audiências no Juizado Especial e, até ali, só havia atendido consumidores insatisfeitos com os péssimos serviços de telefonia e energia elétrica.

Eu estava há tantos anos em uma Vara de Família que perdera a mão para conflitos patrimoniais cotidianos. E me sentia uma mercenária naquela função, frustrada pela impotência absoluta frente ao descaso das empresas. A Justiça, apropriada por quem quer ganhar tempo e procrastinar o cumprimento das obrigações, não parecia justiça para mim. Embora mais trabalhosa, a condução de uma audiência envolvendo um acidente automobilístico me deu alívio porque nela eu tentaria resolver um conflito entre duas pessoas e não entre uma pessoa e um preposto, que, invariavelmente, ignorava o que fora fazer ali.

Gosto de realizar audiências. Muitas vezes, é com os olhos nos olhos que se consegue ler o que nem todas as centenas de laudas podem reproduzir. Magistratura é profissão para quem gosta de gente. Justiça sem coração pulsando pode ser até um trabalho digno, mas dificilmente tem o efeito transformador que só a humanidade compartilhada é capaz de provocar.

Eu usava dois carrinhos de ferro dos meus filhos pequenos, e que por acaso estavam na minha bolsa, para tentar reconstituir o acidente sobre a mesa principal do meu gabinete. O advogado do autor estava impaciente. Não costumava atuar senão em grandes causas e só estava presente porque Paulo Henrique era um cliente importante de muitos anos.

– Perdão, Excelência, mas não tenho tempo para brincar de carrinho. Não há qualquer dúvida quanto ao direito do autor.

Não havia mesmo qualquer dúvida, mas eu queria ser clara para que Joaquim pudesse compreender o que acontecia. Ninguém vai a um tribunal porque quer ou porque gosta. E já que era necessária a presença de ambos, eu fazia questão de explicar o que acontecia e quais seriam as consequências, caso não houvesse um acordo.

Paulo Henrique dirigia na via preferencial. Joaquim distraiu-se no cruzamento e avançou o sinal. Felizmente a velocidade era baixa, mas a porta lateral do carro de Paulo Henrique ficou imprestável. Saíram os dois dos respectivos carros e o bate-boca transformou-se em uma briga de adolescentes mal-educados, com xingamentos mútuos e a intervenção da turma do deixa-disso, que se divertia com a inofensiva ira dos dois velhos. Inofensiva ao menos na aparência.

Meses depois, Paulo Henrique, o único dos dois que tinha seguro de automóvel, queria receber o valor que pagara pela franquia. O carro de Joaquim continuava apreendido porque a dívida acumulada do IPVA era quase o valor do veículo, fora de linha e todo remendado.

– Eu não tenho de onde tirar dinheiro, doutora. Se esse coroa não tivesse sido tão metido a besta no dia da batida, eu pedia emprestado, vendia qualquer coisa e pagava. Nem sei como isso aconteceu. Quando dei por mim, ele já estava saindo do carro, dizendo que eu parecia um burro puxando a carroça, que devia ser proibido de dirigir. Disse que meu salário de um ano não pagava o retrovisor dele! Me humilhou na frente dos outros. Eu sou homem que honra meus compromissos, mas não fui acostumado a levar desaforo para casa, não, senhora! O pior foi esse aí, que tem idade para ser meu pai, me chamando de velho! Disse que eu era provecto para guiar. Eu nem sabia o que era isso. Fui perguntar para o meu patrão. E ele, por acaso, é o quê? Se acha um garoto só porque anda engomadinho?!

Paulo Henrique preparou-se para reagir ao ataque, mas eu impedi, sinalizando com as mãos. A responsabilidade de Joaquim pela indenização era tão óbvia quanto sua incapacidade financeira para bancar o pagamento. Ponderei com Paulo Henrique sobre as limitações de Joaquim e indaguei se ele não estava disposto a prescindir do valor pretendido. O advogado nem me esperou terminar:

– A senhora quer fazer distribuição de renda com o dinheiro do meu cliente?

Embora a tentação fosse grande, eu nem sonharia obrigar alguém a ser generoso. Era uma questão moral, e eu não estava ali para fazer nenhum juízo de valor. Tentava, no entanto, ser pragmática. Ainda que houvesse a condenação, seria uma execução impossível. Joaquim era assalariado, sem casa própria e, agora, sem carro. De onde tiraria dinheiro? Paulo Henrique interrompeu o advogado e assumiu um tom professoral:

– Excelência, é cristalino que não preciso dessa esmola. Se estou me permitindo gastar este tempo aqui não é por outra razão senão pela afirmação do meu direito como cidadão de bem. Pago meus impostos, cumpro minhas obrigações e é uma temeridade que esse senhor, já senil, continue dirigindo e colocando a vida dos outros em risco.

– Quantos anos eu tenho, boboca? Idade para ser teu filho!

Não era tão grande a diferença, a ponto de poderem ser pai e filho, mas, de fato, a velhice chegara antes na vida de Paulo Henrique como um dado objetivo. No entanto, na vida que fora possível a cada um viver, a desigualdade impunha a Joaquim o envelhecimento precoce. Também no processo de envelhecimento as classes sociais se organizam em castas. Ainda que as mesmas doenças e as mesmas deteriorações não escolham padrão financeiro, com dinheiro é mais fácil preservar ao menos a imagem e a aparência.

O tom das vozes foi se alterando e a maior violência que podiam infringir um ao outro eram adjetivos desqualificadores referentes à idade e ao envelhecimento. Não se acusavam de outra coisa, senão de não ostentarem mais os louros da juventude. Nenhum dos dois se enxergava velho, nem mesmo Paulo Henrique, quase chegando aos 88 anos. Era como se não quisessem se olhar no espelho, onde um refletia a imagem do outro, apesar da diferença econômica e social. O que poderia uni-los era a experiência da velhice, condição que ambos negavam com veemência e, paradoxalmente, o único ponto de interseção entre ambos.

O que menos importava ali era o pedido de indenização, o que se revelou quando Paulo Henrique deixou transparecer sua intenção ao formular uma proposta final:

– Eu desisto do processo e perdoo esse senhor sob duas condições: que ele nunca mais volte a dirigir e que peça desculpas, na frente de todas as testemunhas que vieram depor, pelo transtorno que me causou. É isso ou nada!

Nem deixei que Joaquim respondesse. Era nada! Nenhum acordo ou nenhuma indenização poderia se sobrepor à dignidade. Perdão nunca é humilhação e a Justiça não se prestaria a tal desacerto de contas. Sentenciei o feito e condenei Joaquim ao pagamento do valor da franquia. Pela primeira vez ele se mostrou tenso e, com os lábios tremendo como se fosse chorar, dirigiu-se a Paulo Henrique:

– O senhor sabe que eu vou ter que ficar sem remédio para pagar esse dinheiro que o senhor não precisa? Será que eu posso dividir em prestação?

Os olhares dos estagiários que assistiam à audiência voltaram-se para Paulo Henrique, que, encorajado pelo advogado, respondeu:

– Pague do jeito que o senhor quiser! E entenda, pela última vez, que não é pelo dinheiro que eu vim aqui. O senhor precisa aprender a ter mais cuidado. Não pode mais dirigir. Podia ter matado alguém.

Joaquim concordou pagar em 24 parcelas, sem correção. Apertando a mão de Paulo Henrique, não conseguiu, contudo, sepultar o ressentimento:

– Velho por velho, o senhor já era para ter parado de dirigir há mais de dez anos! Da próxima vez, é só falar baixo e ter respeito. Humilhação também pode matar muita gente.

Enquanto saíam, eu imaginava se não seria prudente uma regra que definisse não só o prazo inicial, como também um prazo final para uma carteira de habilitação. Infelizmente, não havia licença ou autorização para a falta de educação nem para a arrogância.

Célia, 84

Entendi que estava envelhecendo quando comecei a sentir a longa duração das tardes. Passei a vida correndo atrás de tempo para conseguir dar conta de tudo o que tinha para fazer e, de repente, o tempo passeava diante de mim, me provocando, me seduzindo. Eu não conseguia pensar em nada para ocupar o tanto de tempo que sobrava nos meus dias.

Comecei a me sentir outra pessoa. A cabeça estava quase igual, mas o corpo não acompanhava a velocidade. Os movimentos eram mais lentos, a atenção precisava aquecer para pegar no tranco. E a memória? Demoro às vezes para lembrar o nome das pessoas, dos lugares. Minha filha até me levou ao médico. Acho que ela estava com medo de alguma doença. Fiz os exames e não era nada. Só velhice, como me disse a psicóloga... Só velhice porque não é a velhice dela!

Não me zanguei com a falta de cerimônia com que ela me falou do envelhecimento. Senti até certa pena. Ela fala do que não entende. Aliás, entende de estudar, de ouvir falar, mas não está no meu lugar.

Outro dia, na fila do banco, um rapazinho bufava no meu pescoço porque eu estava demorando a lembrar a senha. Situação parecida aconteceu no cinema, quando meu celular tocou. Eu tinha certeza de que havia desligado, porém me enganei. Todo mundo tem direito de se enganar.

Quando essas coisas acontecem com uma velha como eu, a moçada olha com desdém. Tenho amigas da minha idade que se ressentem, ficam arrasadas porque não conseguem embarcar na velocidade do mundo. Não é o mundo que está mais veloz. Sou eu que estou mais lenta. Tenho de aceitar a realidade.

Olho com consternação para essa gente apressada e impaciente. Já estive nesse lugar. Sei como é ser jovem e, felizmente, aproveitei minha juventude. Eles nunca estiveram onde estou. Por isso a arrogância. Pensam que sabem tudo, porém nem sonham que, se tiverem sorte para chegar aonde cheguei, vão andar devagarinho. E aprender a lidar com o desprezo, se não quiserem sofrer muito.

Dança
da solidão

– Já entendi que a senhora mora na mesma casa que ela há seis anos, mas ainda não entendi qual o relacionamento de vocês.

Era um pedido de curatela. Diana, aos 86 anos, não conseguiu responder a nenhuma das perguntas. Da cadeira de rodas, com os olhos fixos em algum horizonte do esquecimento, mal se movimentava. Sem filhos, sem irmãos ou parentes conhecidos, vivia sozinha no grande apartamento de um bairro nobre. Na companhia de Dirce e de três advogados, compareceu à Justiça para ser ouvida.

O diagnóstico de Alzheimer era insuficiente para evitar a entrevista. Os doentes não reagem de forma parecida ao mesmo mal. Alguns preservam por mais tempo a capacidade cognitiva e, ainda quando a memória se esvai lentamente, há os que conseguem compreender a necessidade de indicar alguém que possa ser seu curador e administrar seu patrimônio. A tendência é respeitar, sempre que possível, a autonomia e a vontade dos que envelhecem e são atropelados por esse trator com dragas devastadoras. Os olhos dos outros são sempre insuficientes para desenhar o retrato falado do mundo habitado pelos que esquecem. Mas é pela lembrança dos amigos, dos familiares, dos vizinhos que se preserva a vida depois que a memória se esconde.

Dirce já tinha contado que Diana era solteira e estava órfã havia mais de duas décadas. Elas se conheceram dez anos antes, em um almoço na casa de uma amiga em comum. Não se encontravam com frequência, mas essa mesma amiga, antes de morrer, pediu que Dirce cuidasse de Diana. Ela estava envelhecendo e não tinha mais ninguém. Dirce só percebeu que Diana não possuía mais condições de morar sozinha quando chegou de surpresa para uma visita e a encontrou urinada no sofá. A empregada disse que isso acontecia com frequência. Na semana anterior, ela defecara na cama e parecia não se importar com o fato.

Dirce também era sozinha, mas, aos 62 anos, tinha energia e preparo suficientes para ajudar. Foi a soma de duas solidões que a levou para o apartamento da amiga.

– Mas aqui no processo consta que vocês viviam em união estável. Não está parecendo que é essa a relação de vocês, estou errada?

Dirce olhava pelo canto dos olhos para o advogado, como que pedindo autorização para responder. Seguiu adiante, dizendo que tinha uma relação de carinho com Diana. Dormia no quarto dela. Nunca teve sexo. Apegara-se à amiga e procurara orientação porque precisava tomar algumas providências quanto ao plano de saúde e pedir um *home care*. Entendi que, de fato, não havia qualquer união estável e comecei a observar algum incômodo dos advogados quando a promotora quis saber o valor dos proventos e do patrimônio. Era uma quantia significativa. Então, antes que a situação ficasse ainda mais complexa, interrompi:

– Deixe-me explicar algumas coisas porque parece que estamos misturando os problemas. Já entendi que Diana é sozinha e não tem nenhum herdeiro. Uma coisa é você, como amiga, poder assumir a curatela e os cuidados que ela precisa. Outra coisa é você dizer que é companheira. Essa condição faz de você herdeira. Não tenho aqui nenhuma prova. Se você quiser ser reconhecida como tal, deve entrar com outro processo somente com essa finalidade.

E prossegui:

– O que não pode é inventar uma relação para tentar receber uma eventual herança, caso ela morra antes de você. Isso pode ser entendido como fraude, inclusive com consequências criminais. Não sei que tipo de orientação você recebeu, mas vou voltar a perguntar: você e Diana são companheiras?

Antes que ela respondesse, foi possível notar os olhares e o desconforto dos patronos. Visivelmente contrariada, Dirce esclareceu que não tinha nenhum outro interesse que não fosse cuidar da amiga. Emocionou-se quando falou da própria solidão e do sentido que descobriu para a vida depois que se mudou para a nova casa. Era como se tivesse encontrado um colo materno e silencioso, que tanto dava quanto recebia afeto, sem questionar, sem contestar, sem julgar. Só aceitou dizer que eram companheiras porque temia não poder ser curadora se não ostentasse tal condição.

– Eu estou muito sem graça. Me desculpe, mas se eu soubesse que não era necessário não havia concordado com a solução. Só não posso deixar ela abandonada. Não tenho nenhum interesse na pensão nem na herança. Somos sozinhas no mundo. Eu preciso ficar junto dela.

Segurando as lágrimas e visivelmente emocionada, Dirce convenceu a promotora e a mim da integridade de suas intenções. Ela não precisava estar ali. Se fosse um golpe, como muitos que infelizmente acontecem, ela teria se preparado de forma adequada. Jamais admitiria outra versão senão aquela que a mantivesse na condição de herdeira. Inconformados e tensos estavam os três profissionais, ao constatarem que os planos futuros morriam naquela praia.

Havia evidências de que a intenção era transformar Dirce em companheira. Assim, além da pensão depois da morte, ela herdaria os imóveis. Não costumo, contudo, presumir a má-fé de ninguém. Muito menos julgar alguém pelas intenções. Não era um processo criminal, e o que eu precisava, ali, era resolver o conflito a partir das necessidades de Diana. Sozinha, sem ninguém legalmente responsável, sem ninguém para legar o patrimônio e as pensões, Diana, mesmo sem memória, vivia e precisava viver até o fim com dignidade e, se possível, cercada de afeto. O Ministério Público, assumindo as rédeas do processo, poderia indicar um curador e, se necessário, acompanhar as prestações de contas.

Duas solidões. Uma só tinha a outra. Era razoável que Dirce fosse nomeada curadora. Era razoável que recebesse algum valor para exercer o encargo. Diana tinha dinheiro suficiente para os próprios cuidados, até os mais caros, e para o pagamento à amiga.

Então me dirigi aos advogados, formulando a proposta:

– Doutores, vou entender que os senhores se enganaram na orientação. Os esclarecimentos já estão anotados na assentada. Dirce e Diana não são companheiras. São amigas e são sozinhas. É justo que Dirce assuma a curatela e receba por isso.

O silêncio indicava que eles haviam compreendido que nem tudo se resolve na malandragem. Infelizmente, Diana não fez um testamento enquanto era lúcida. Não temos, na nossa tradição, a preocupação de nos prepararmos para o esquecimento nem para a morte. O patrimônio, na falta de herdeiros, ficaria para o município, solução legal que provavelmente não seria a escolhida por Diana se ainda tivesse voz.

A ficção, que sempre se antecipa à realidade, já havia indicado, pela escrita de García Márquez, o segredo para uma velhice agradável: a assinatura de um honroso pacto com a solidão. Mas nem o maior autor do realismo mágico conseguiria prever que o individualismo e o isolamento, considerados a epidemia oculta do mundo moderno, levariam a Inglaterra a idealizar um Ministério da Solidão.

Antes de deixar a sala, empurrando a cadeira de rodas de Diana, Dirce ainda se desculpou algumas vezes. Ela não tinha culpa de nada. Preocupava-se com o próprio futuro. No tempo em que cada qual cuida de si, era natural a tentativa. E é triste que não pensemos em alternativas para enfrentar as solidões contemporâneas, que, em breve, não serão tão ocultas nem tão silenciosas.

Direito
de envelhecer

– Três meses depois do casamento do meu filho único, meu marido morreu. Ele lutava contra um câncer no pâncreas fazia um ano mais ou menos. Parecia que só estava esperando nosso menino sair de casa. Eu sempre tive muita fé. Foi o que me sustentou naquele momento.

Gilda se casou jovem, com pouco mais de 20 anos. Com dificuldades, ela e o marido construíram um confortável patrimônio. Após as bodas de prata, com o filho já formado e o casamento marcado para o ano seguinte, poderiam finalmente usufruir os prazeres da vida sem pressa ou culpa. Mudariam para uma casa menor, viajariam, passariam uma temporada na praia sem data para voltar. Sem avisos e sem sintomas, um dia o marido amanheceu amarelado. Um câncer no pâncreas devastador, intratável e com prognóstico de morte iminente abortou os planos do casal.

– Foi muito difícil, mas eu tinha certeza de que Deus estava me mandando um recado. Ele nunca me deu um problema sem me dar forças para suportar.

Gilda ficou viúva aos 53 anos. Jovem, teria tempo para refazer a vida.

– Agora, com 75 anos, percebi que passei pela vida fazendo planos. Não vendi meu apartamento, não viajei. Pensando bem, nem lembro como e onde gastei esses últimos vinte anos.

Primeiro, o luto a impediu de seguir adiante. Foi insuportável perder o companheiro da vida, com quem ela havia planejado envelhecer. Depois, já recuperada, ganhou o primeiro neto, e o segundo, e o terceiro. Sem que se preparasse ou sem que fosse consultada, virou avó em tempo integral. Era ela quem se responsabilizava pela agenda das crianças. Transformou-se em motorista e estava sempre disponível para a maratona de natação, curso de inglês, festas infantis. Mal notou quando os meninos não precisavam mais da sua presença. Adolescentes, queriam qualquer alternativa, exceto a companhia da vovó.

Gilda não lamentou a transição. Finalmente retomaria seus projetos. Embora não fosse uma menina, não se sentia velha. Era saudável, independente e cercada de amigos, sobretudo no grupo de oração, que nunca deixara de frequentar, e que decerto embarcariam nas viagens por ela idealizadas. Não esperava, no entanto, que Dinorah, sua mãe, precisasse de algum suporte. Dinorah era uma mulher independente. Morava em outra cidade e nunca ocupara a filha única. Encontravam-se nas datas comemorativas e se falavam com frequência pelo telefone.

– Quando a empregada ligou, dizendo que mamãe tinha quebrado o fêmur, foi que percebi que ela não era mais uma menina.

Aos 93 anos, pela primeira vez Dinorah solicitava a presença da filha. A recuperação foi lenta. Após alguns meses, Gilda constatou que a mãe não poderia mais morar tão longe. Providenciou a mudança de Dinorah sem consultá-la, supondo estar fazendo o melhor para ela. Vendeu a casa da família e desfez-se de grande parte dos objetos e roupas sob os protestos da idosa, que preferia uma seleção mais criteriosa. Fez o que imaginou ser do interesse da mãe. Fechou as portas, sem deixar qualquer fresta.

É verdade que tinha um filho que poderia auxiliá-la. Acostumara-se, contudo, a não ocupar o jovem. Poderia se virar sozinha, como, aliás, sempre fizera. Enquanto Gilda me contava a própria saga, eu pensava em que momento da vida somos expropriados das nossas vontades.

Um dia, passados três anos de convívio na nova casa, Dinorah, que pouco falava e pouca intimidade demonstrava com a geografia do local, perdeu os movimentos das pernas. Havia um mês, silenciara definitivamente.

– Parece que desligaram um botão. Fui acordá-la para o café e ela só me olhava. Sem piscar, sem reagir. Fica assim, quietinha, e não responde a mais nada.

Durante a audiência, Dinorah, sentada em uma cadeira de rodas, olhava fixamente para um único ponto, alheia ao que acontecia. O pedido de interdição era necessário para que ela continuasse recebendo a pensão. Gilda nunca pensou que fosse precisar do dinheiro da mãe para as despesas domésticas, mas os gastos com remédios e acompanhantes quase acabaram com as reservas tão bem gerenciadas.

O tempo da audiência foi todo dedicado a ouvir Gilda. Ela parecia tão ansiosa e solitária que a deixei falar o quanto quis. Esforçando-se para não chorar, enquanto esperava o documento para assinar, ela desabou:

– Eu nunca perdi minha fé. Sempre acreditei que Ele, no final, nos leva ao melhor caminho. Mas sabe, doutora, estou muito cansada. A gente não quer morrer cedo, mas ficar velho é muito, muito triste.

Ela falava como se desculpando pela fraqueza, enquanto alisava o rosto da mãe. Eu disse a ela que ficasse tranquila. Eu vinha me deparando com situações muito tristes diariamente na minha Vara. A experiência de lidar com a impotência estava me ensinando a enxergar a vida sob outra perspectiva. Tentei convencê-la – embora estivesse falando para mim mesma – de que viver das perdas e da dor não alivia a tristeza e nos deixa ainda mais miseráveis. Talvez fosse melhor viver as alegrias cotidianas, evitando amplificar as angústias. Tudo passa.

Só quando ela me respondeu é que constatei que não era apenas Dinorah o foco do problema:

– Sei que não parece porque eu me cuido e sempre me cuidei, mas tenho 75 anos! Agora, além da minha mãe, meu filho voltou para casa, desempregado e divorciado. Eu não aguento mais, doutora.

Ela não era a única. Uma geração de Gildas chegava à Justiça. Nascida em um tempo cujo destino era cuidar de todos, Gilda não experimentara a juventude nem a maturidade intensamente. O que desejava, agora, era o direito de viver a velhice. E de ser cuidada por alguém.

Eu não posso morrer

— A primeira coisa que o pai dele fez, logo que a gente voltou do médico, com ele ainda garoto, foi pegar meia dúzia de cuecas, enfiar numa mala e sumir no mundo. Vinte anos depois veio a notícia da morte do infeliz. A senhora consegue imaginar um homem que fica vinte anos sem ver um filho?! Nunca viu, nunca procurou, nunca quis saber de nada.

Era a última audiência da tarde. Já havíamos terminado fazia algum tempo, mas Luci queria conversar. Não tinha pressa de ir embora. Vinha de uma longa e exaustiva rotina. Quase meio século dedicado exclusivamente ao filho. No início a família dela ajudava. A mãe era viva, as duas irmãs também. Ela conseguia sair para trabalhar e deixar Antônio acolhido e cuidado.

Ele não tinha limitação motora, como ela fez questão de pontuar. Sempre andou, tomou banho, comeu, com relativa autonomia. É verdade que precisava da companhia de alguém — um detalhe irrelevante para a resignada mãe. Uma vez, com pouco mais de 15 anos, tapou o ralo do boxe no banheiro porque queria fingir que era uma piscina. Parece que ele tinha visto na televisão alguma coisa assim. A irmã de Luci, coitada, estava ocupada cuidando da mãe doente. Quando Luci chegou do trabalho, viu que um pequeno grupo se aglomerava diante da porta escancarada do prédio. O coração pulou até a boca. Ela nem se lembra de como atravessou a rua e saltou pelos degraus até chegar ao banheiro de seu apartamento. A loja de sapatos, embaixo do sobrado, estava alagada. Antônio, nu, sentado no chão, ignorava a movimentação e o estrago que causara.

A história não era contada em tom de lamento. Muito menos de ressentimento. Ao contrário, o rosto da senhora se iluminava enquanto ela recordava as traquinagens do filho.

— Se eu tivesse tempo, passava o dia aqui lembrando das boas que esse menino já me fez passar!

Aos poucos, a ajuda foi rareando e o trabalho aumentando. Primeiro perdeu uma irmã. Depois a mãe. Por fim, há três anos, outra irmã, a caçula. A casa era da família, mas Luci ainda não tinha conseguido fazer o inventário porque faltava dinheiro para pagar os impostos.

Antônio estava mais pesado agora, demandava cuidados com a barba e o corpo de adulto, que não foi contido pela limitação mental. Os ajustes com a medicação tinham dado trabalho, e episódios de convulsões e de agressividade ficaram mais constantes. Ao menos Luci conseguira se aposentar, e era assim que garantia o sustento dela e do filho.

— Ele não me dá trabalho, doutora. Eu só contei essas coisas para a senhora avaliar que não é fácil. Entenda, não estou reclamando. Só mostrando que meu dia a dia não é muito tranquilo.

Como se não tivesse direito a cansaço e tristeza, imediatamente emendou:

– Ele não fala, mas eu entendo tudo o que ele pensa. Esse menino é tudo para mim. Só vim à Justiça agora porque comecei a me preocupar com o futuro dele. Sem uma interdição, ele não conseguirá receber a minha pensão se eu um dia faltar.

Luci construiu uma rede de afetos pela vida e pela vizinhança. Todos admiravam a leveza com que ela atendia o filho, sem lamúrias, sem demonstrar irritação ou fadiga. Certamente ela deve ter chorado inúmeras vezes. Certamente, em silêncio, ela deve ter maldito o homem que a deixou e que abandonou seu rebento. Certamente o amor que Luci cultivou pelo filho suplantou as dores e a tentação à vitimização.

O menino, com quase 50 anos, estava bem instalado, com a cabeça deitada no colo largo da mãe, que, durante todo o tempo da audiência, acariciava os cabelos dele, bem devagar, como se tocasse uma cantiga de ninar em uma harpa feita de fios ralos e embranquecidos. Ela parecia uma Madona, mais comovente do que as muitas retratadas nas obras de arte que conheci ao longo da vida.

O olhar sereno de Antônio, único retorno para tanto amor recebido, aceitava o carinho com doçura. Entre um acorde e outro da lenta melodia, ele levantava a sobrancelha direita e piscava, cúmplice, para a mãe. Sozinha, chegando aos 80 anos, ela ainda tinha forças para cuidar do filho. Segurou a minha mão, depois de assinar o termo de curatela, e confidenciou, num tom bem-humorado e bem baixinho, para que Antônio não a ouvisse:

– Nunca pensei que uma mãe pudesse querer que o filho partisse antes dela, doutora. Todo dia eu rezo para Deus me fazer esse milagre. Nem direito de morrer eu tenho.

Sem direito à vida própria e aos prazeres individuais, inteiramente dedicada ao filho, Luci também não tinha direito à morte. No entanto, por esses caminhos improváveis e inexplicáveis, o tempo todo aconchegada ao homem-menino, ela era um poço transbordante de afeto e resistência.

Eurico, 87

Se um dia eu descobrir quem foi o infeliz que inventou essa história de melhor idade, eu dou um soco no meio da cara dele! Aposto que é coisa de publicitário mocinho querendo fazer graça. Imagino até a reunião em volta da mesa de criação. A turma gargalhando e pensando nas cifras com as propagandas. Os velhinhos atletas, na academia, no shopping, praticando esporte. Até voando de asa-delta para vender plano de previdência privada e seguro contra acidentes. Trabalhei nesse meio muito tempo. Conheço os idiotas de longe. O que eles querem é inventar eufemismos para o povo seguir consumindo até o caixão.

Já viu aquelas propagandas de cemitério gramado, florido, com raios luminosos que parecem uma estrada para o Paraíso? Pois é isso que eles fazem! Melhor idade, pois sim! Melhor idade foi entre 30 e 50 anos. Eu não parava um minuto. Pilotava helicóptero, saía de carro por aí, viajava, virava as madrugadas na farra. E agora? Meus amigos ou já foram ou não podem mais fazer nada! Nem beber, nem fumar, nem dirigir eu posso mais.

Minha mulher adora netos. Para mim, neto é problema de filho. Eu criei os meus, eles que criem os deles. São folgados. Se deixar, largam a criançada lá em casa e nem se lembram de buscar.

A parte boa da velhice? Acho que não tem parte boa. Eu tenho um monte de histórias para contar. Podia passar o resto da vida lembrando o tanto que vivi e experimentei. Mas não gosto de viver do passado. Isso é coisa de velho. E ficar velho é uma merda! Acho que só suporto a velhice porque quando penso que a alternativa é morrer acho divertido ficar por aqui, reclamando.

Ela me faz tão bem

— Sem o seu pai aqui não podemos continuar com a audiência, Fernanda. No processo de interdição, eu preciso ouvi-lo antes de qualquer outra coisa. Adiamos para a próxima terça-feira, na mesma hora.

Mesmo com as explicações do advogado de Guilherme, a filha parecia não se convencer. Era óbvio, para ela, que seu pai estava fugindo da reunião, o que fortalecia ainda mais as preocupações com a senilidade galopante que, segundo ela, o acometia. De quase nada adiantaram os atestados dos médicos apresentados pelo advogado declarando a higidez mental de Guilherme – a moça não se tranquilizava. Não ajudou, também, o documento assinado por Pedro, o irmão mais velho, afirmando que o pai não precisava ser interditado e que não concordava com a ação movida pela irmã.

— Será que só eu enxergo que ele precisa de ajuda, doutora? Eu nunca vi meu pai desse jeito! É visível que ele não consegue mais cuidar da própria vida. Se a senhora olhar o extrato do cartão do mês passado, não vai acreditar. Essa mulherzinha está aproveitando a condição dele pra tirar tudo o que pode!

A tal "mulherzinha" caíra de paraquedas na vida de Fernanda. Desde que o pai enviuvara, havia pouco mais de três anos, era a filha quem cuidava dele. Não que ele precisasse de alguma atenção especial. Aos 75 anos, ainda trabalhava na editora, dirigia e era dono de uma saúde invejável.

Fora duríssimo para toda a família enterrar a mãe, companheira de Guilherme por 49 anos. A festa das bodas de ouro toda pronta, os convites na rua. Um atropelamento na porta do banco e morre-se ao meio-dia. Era inimaginável que a vida prosseguisse depois de uma tragédia como aquela. Mas a vida segue, com ou sem a nossa disposição. Ignorando as nossas dores ou o desejo de inércia no quarto escuro, o dia volta a amanhecer e o tempo continua a agir, apesar das nossas contrariedades.

A família achava possível a sobrevivência da mãe sem o pai. O contrário parecia uma hipótese inviável. Ela sempre providenciara tudo e vivia em função do marido. Em pouco tempo, Fernanda mudou-se para um apartamento próximo ao do pai. Preservaram os almoços de domingo, hábito cultivado pela mãe ausente e, com frequência, os netos alegraram os meses seguintes. Agora, cicatriz da perda, a dor era suportada pela memória e pelas boas lembranças.

Um dia, ansiosa com a falta de notícias do pai por uma semana, Fernanda, sem avisar, resolveu passar na casa dele de surpresa para um café. O que não esperava era ser surpreendida. Quando destrancou a porta da sala, de mãos dadas com o filho de 10 anos, deparou-se com uma mulher um pouco mais velha que ela, de calcinha e camiseta, carregando uma bandeja na casa que sempre fora de sua mãe. A moça não se intimidou com a presença de Fernanda e dirigiu-se para o quarto para se vestir adequadamente, enquanto Guilherme, bem-humorado e ainda de pijama, apareceu para abraçar o neto, sob o olhar perplexo da filha.

Fernanda não esperou o retorno da jovem senhora. Pegou o menino pela mão e saiu cuspindo fogo, sem condições de reagir ou de gritar. Nas tentativas posteriores de controlar o pai, encontrou nele uma resistência até então desconhecida. Sempre amável, sempre cordato, sempre disponível para a família, Guilherme não admitiu ser questionado por Fernanda da forma invasiva como ela pretendia.

Os domingos prosseguiram sem a presença dele nos almoços, e as inquietações da filha eram minimizadas pelo irmão, que achava natural o pai se relacionar com outra mulher. Morando longe, em São Paulo, era mais fácil para ele dar opinião e não se envolver. Fernanda não se considerava ingênua e muito menos infantil. Conseguia aceitar que o pai namorasse e recompusesse a vida. Não tolerava, entretanto, imaginá-lo, vulnerável e carente, segundo ela, sendo explorado por uma qualquer, especialmente 22 anos mais jovem que ele. Em uma conversa com a gerente do banco em que ambos tinham conta, impressionou-se com os gastos do pai com lazer – restaurantes, lojas e até mesmo joalheria.

Sigilo bancário é um direito desprotegido para quem envelhece, pensava eu. Com que facilidade alguns filhos desvelam as contas e os investimentos dos progenitores sem ordem judicial! Estimulada pelo marido, também apreensivo com os gastos do sogro, Fernanda procurou um advogado e foi orientada a entrar com um processo de interdição. Essa medida desencadeou a ira de Guilherme e reações agressivas, que, pelo menos aparentemente, validavam a tese de que ele poderia estar sofrendo de algum transtorno.

Na semana seguinte ao meu primeiro encontro com Fernanda, Guilherme, acompanhado de seu advogado, compareceu para ser ouvido. Naquela audiência, por meio de perguntas objetivas, eu saberia se seria o caso de dar andamento ao processo. As perguntas, na maioria das vezes, referiam-se à orientação no tempo e no espaço para avaliar a memória e a sanidade. Assim se julgavam as curatelas, e é sempre triste e delicado constatar que podemos nos tornar incapazes em algum momento da vida.

Normalmente, as audiências de impressão pessoal causam grande angústia nos entrevistados. Pessoas que até então eram donas de si parecem alheias à realidade, confusas, muitas vezes sem noção de sua identidade. Declarar em uma sentença que alguém é incapaz produz um sentimento de arrogância bem distante da idealização da Justiça. Sempre me perguntei se a magistratura me investia de fato desse poder tão cruel de decidir quem tem e quem não tem capacidade para cuidar de si.

Ainda que fossem realizadas perícias neurológicas ou psiquiátricas para auxiliar na decisão, era devastador submeter um ser humano a um processo como aquele. Com ou sem sentença, soava como condenação. O caso de Guilherme não suscitava dúvida. Lúcido, dono de suas vontades e de seus desejos, encontrou nos braços de Liliana o encantamento para depois do luto. Autor consciente da própria história, não permitiria, por mais que amasse a filha, que ela interferisse em suas escolhas.

Embora 22 anos mais jovem que ele, Liliana era independente, divertida, como ele a adjetivou. Por que imaginar que, já na reta final da vida, ele não pudesse experimentar a alegria dos encontros que ela suscitava? O dinheiro era dele. O trabalho era dele. O amor era dele. Aos 50 anos, Fernanda já deveria ter crescido. Guilherme estava indignado por ter precisado contratar um advogado e ter desperdiçado um dia de trabalho para ir ao Fórum provar que não era incapaz e não precisava ser interditado.

Durante a audiência, Fernanda, em uma catarse, vomitou toda a sua raiva e seu ressentimento. Chorou pela perda da mãe, chorou porque queria se convencer de que suas reações eram para preservar o pai, chorou porque a realidade, distante das suas fantasias, indicava que nem o pai estava senil nem Liliana era a bruxa má querendo se aproveitar do ancião incapaz. Inicialmente na defensiva, supondo que o interesse da filha era se apropriar da herança antes da sua morte, Guilherme foi aos poucos compreendendo as tolas preocupações da menina. Era assim que ele ainda a chamava.

– Meu amor, quando você escolheu o traste do seu marido – constrangedoramente presente –, não me pediu opinião e eu não achei que você era maluca. Fique tranquila, sei que não sou um galã, mas ainda dou pro gasto. Liliana não é sua mãe, nem de longe se parece com ela. Mas ela me faz feliz. Você não acha que seu pai merece ser feliz nesse resto de vida que ainda tem?

Levantou-se e dirigiu-se até a filha. A audiência terminou num abraço e com o processo no arquivo.

Viver é muito bom

Sempre associei velhice a Copacabana. Desde cedo idealizava o bairro como um destino inevitável para esperar o fim da vida. Nenhuma relação com tristeza, luto ou tragédia. Copacabana, para mim, era um lugar de velhos felizes: calçadão lotado, redes de vôlei, chopes, gatos, cachorros e muita conversa. O que poderia ser mais fantástico do que envelhecer entre iguais, todos bem-dispostos para a vida e para o sol à beira-mar?

Antes da magistratura, com pouco mais de 20 anos, quando ainda trabalhava como produtora de teatro, eu olhava com uma ponta de inveja as vans que transportavam as velhinhas de cabelos coloridos que lotavam os espetáculos. Ocupavam as primeiras fileiras, riam empolgadas com as piadas, combinavam outros palcos para as semanas seguintes e, na minha fantasia, se um dia a morte as alcançasse, seria entre um passeio e outro com o show continuando ao redor.

Quantas vezes minhas amigas e eu fizemos planos para envelhecermos juntas – em Copacabana! Na época, eu não tinha filhos nem pais idosos. A velhice era, portanto, distante, romanceada, e como em quase todos os projetos e desejos só incluía bons prognósticos e deliciosas perspectivas. O tempo, esse nosso desconhecido, agiu sem que eu percebesse e ajustou minhas idealizações. A lente da juventude enxergava apenas os cabelos azuis, lilases e verdes. Hoje a lente é multifocal e muito mais nítida.

Trabalhando em uma Vara que acompanha de perto a deterioração causada pela passagem dos anos, assistindo à degradação daqueles que até pouco tempo eram senhores e senhoras absolutos de suas decisões e lembranças, percebo-me, diariamente, questionando o sentido da vida e convivendo com a ansiedade que a impotência traz. Juíza, acostumada a sentenciar, determinar, ordenar, ajustar, restabelecer e outros tantos verbos impositivos, tenho aprendido a me resignar, compreender, contextualizar e acolher. São verbos que combinam melhor com o tempo e que definem o papel da Justiça, quando não se consegue mais explicar a razão da injustiça das doenças que chegam com a idade.

Sozinha, depois de uma caminhada à beira-mar, eu refletia sobre os muitos processos nos quais meu único papel era viabilizar o cotidiano patrimonial, nomeando alguém para administrar a vida financeira daqueles que já não eram capazes de fazê-lo com autonomia. Então era para isso que servia um juiz diante do fim da vida? Seria possível alguma interferência que reduzisse os danos experimentados pelos que envelhecem e pelas famílias daqueles que não têm mais voz?

Sentada em um quiosque vazio, bebendo uma água de coco no início da noite, só percebi a presença de uma velhinha na mesa ao lado quando ela me interpelou para prosear.

Ela não tinha cabelos coloridos. Eram totalmente brancos, mas parecia saída de um livro de fábulas. Era, sem dúvida, uma típica velhinha de Copacabana. Daquelas que eu sonhara ser um dia. Não nos apresentamos formalmente. Pareceu desnecessário perguntarmos nome, profissão ou endereço uma da outra.

Sem qualquer questionamento e louca por uma conversa, ela me disse que esperava a irmã para um cinema. Não só encontramos um interesse comum, como me surpreendi com a sofisticação de sua preferência: filmes franceses para exercitar a língua que decidira aprender tardiamente.

– Eu estudo inglês e francês, sabe? O inglês eu continuo só para exercitar, mas o francês é uma língua linda que eu nunca tive tempo para aprender. Acredita que eu só tiro dez nas redações? Dez +!

Ela sublinhava o sucesso com o orgulho próprio das crianças quando bem-sucedidas nos testes e nas provas. Nesse momento, eu já havia pulado para a mesa dela. Queria escutá-la mais de perto e estava verdadeiramente encantada com o tom da voz e a narrativa. Ela prosseguiu:

– Eu também estudava Gastronomia, mas o curso foi interrompido porque a professora ganhou uma bolsa para fora do país.

Curiosa, eu quis saber se ela morava com a irmã. Rindo, ela me contou que não moraria com ninguém. Aprendera a viver sozinha e agora era tarde para se adaptar a dividir espaço com outra pessoa. Ficara viúva muito jovem e não se casara novamente, nem tivera filhos. A aparência, a disposição e o bom humor me surpreendiam e ela continuou a me assombrar. Com 88 anos, há seis fazia diálise três vezes por semana.

– É chato, não é? Mas não tenho mais idade para um transplante. E como não posso decidir sobre isso, tenho que me submeter. É mais fácil assim.

Da minha arrogância distante, imaginei se eu teria forças ou vontade para um tratamento tão doloroso e intenso, caso chegasse à idade dela. A curiosidade em torno de línguas, filmes, histórias, além da disposição para uma boa conversa, no entanto, alimentavam nela o olhar expressivo e o desejo de estar viva. E ela arrematou:

– Quando o médico me chamou para contar do meu problema, não me deu alternativa. O único tratamento era a diálise. Ele perguntou se eu queria viver. Imagine se isso é pergunta que se faça?! Claro que eu quero. Viver, apesar de tudo, é muito bom, minha querida!

Voltei ao trabalho, na semana seguinte, mais convencida ainda de que precisava ajustar o grau das lentes todos os dias. Para não cair na tentação de decidir a vida e as escolhas dos outros, especialmente as dos que envelhecem antes de mim.

Stela, 67

Eu sinto falta de companhia. Não das amigas. Essas nunca me faltaram. Gosto de andar de par. Não posso dizer que não tive sorte. Casei algumas vezes. Sou o tipo de mulher que não nasceu para viver insatisfeita. No primeiro casamento, o mais longo, nasceram duas filhas. Depois, tive um casamento conveniente, não foi uma paixão. Amor para valer eu vivi com meu terceiro marido. Se dependesse de mim, era ele quem eu escolheria para envelhecer a meu lado. O problema é que ele se apaixonou por uma moça. Fazer o quê?

Eu tinha acabado de completar 65 anos. Estava vulnerável e me sentia acabada. A pele mais seca, as rugas acentuando. Não que eu seja obcecada por beleza, mas é difícil ver o corpo deteriorando. Eu me exercito, faço musculação, só que a lei da gravidade é implacável. Exceto a gengiva, tudo o mais vai para baixo.

Andei procurando companhia em um site de relacionamento. Tentei umas duas vezes, não deu. Não por preconceito. Tenho amigas que namoram homens que conheceram lá.

Não sinto falta de sexo, sinto falta do abraço, do cinema de mãos dadas. De viajar, visitar museus, ler um livro ou assistir a uma peça e ter com quem comentar. Além disso, adoro carinho. Sou muito carinhosa. Tenho um amigo que, se não fosse gay, era tudo o que eu precisava.

Minha dificuldade é encontrar um homem que tope envelhecer comigo desse jeito, quase adolescente. Acho que os homens são bem diferentes. Depois do Viagra, então, piorou demais. Eles estão sempre dispostos, com vontade. Uma vez, em um seminário na Funarj, há muitos anos, vi um filósofo francês falando do desejo. Ele dizia que não existe um homem sequer que não seja um déspota quando está de pau duro. Não é que ele tinha razão?

Se eu tivesse que publicar um perfil em algum site de relacionamento, seria assim: "Mulher madura, interessante, independente, procura homem inteligente e gentil para envelhecerem juntos. Sexo sem penetração!"

Testamento

Saibam quantos este público instrumento virem, ou dele notícias tiverem, que eu jamais declararei minhas últimas vontades em um formulário escrito desta maneira torta. Se eu tiver tempo e coragem, espero conseguir, antes da aposentadoria, desenhar um projeto que transforme os documentos públicos e as decisões judiciais em textos compreensíveis para todos. Linguagem é poder. A afirmação da cidadania exige domínio e entendimento do que se fala, do que se lê e do que se escreve.

Mesmo na correria e na urgência do dia a dia, mesmo depois de 24 anos de profissão, não canso de me surpreender com o rebuscamento de mandados, alvarás, intimações e formais de partilha que, diariamente, aguardam minha assinatura. Para expressar meus desejos futuros, prefiro ser simples, objetiva, compreensível. Não quero correr o risco de precisar ser interpretada. Ou, pior, mal interpretada. Eis, então, os meus desejos:

I Desejo envelhecer com autonomia e liberdade. Espero que minha voz seja ouvida enquanto eu puder falar. E que não se apropriem da minha fala ignorando minha existência.

II Desejo envelhecer com um baú transbordante de memórias, e que esse baú tenha filtros para descartar as piores lembranças e potencializar as maiores alegrias.

III Desejo envelhecer cercada dos amigos que eu tiver capacidade de cultivar e dos afetos que conseguir colecionar ao longo da vida.

IV Desejo que as rugas cheguem sem que eu tenha perdido a esperança na humanidade e a curiosidade para aprender mais, e compreender sempre.

V Desejo envelhecer com sede de vida e fome de amor. Desejo ser generosa com os que chegam, e profundamente grata aos que vieram antes de mim.

VI Desejo ser uma velha doce. Se possível, dona dos meus desejos. Se impossível, resignada com as limitações.

VII Desejo envelhecer namorando, com vontade de reviver as experiências das primeiras vezes e com compreensão de que amores cotidianos podem ser tão intensos quanto amores idealizados.

VIII   *Desejo lembrar sempre. Porém, se um dia ratear ou for tragada para o mundo misterioso do esquecimento, desejo que os que amei e os que me amam conservem minhas lembranças pelas histórias que ouviram de mim.*

IX   *Desejo não sofrer. Muito menos fazer sofrer a quem amo. Se não conseguir, desejo que os danos sejam reduzidos pela compreensão de que a nossa condição humana nos faz precários e provisórios.*

X   *Desejo não perder a capacidade de me emocionar e de me encantar com o cotidiano e a estupenda experiência de aceitar minhas contradições, meus erros.*

XI   *Desejo compreender que arrependimento não reconstrói nada e que não há do que se arrepender, quando nossas escolhas foram as melhores possíveis nas circunstâncias pretéritas.*

XII   *Desejo não adoecer nem depender de ninguém. Se não conseguir realizar esse desejo, espero ter humildade e resignação para que a velhice não seja um fardo, e sim uma condição indissociável da vida.*

XIII   *Desejo que o João e o Kike, meus filhos, respeitem os meus desejos e que cada um encontre na própria vida motivos para seguirem como seres desejantes até o final.*

XIV Desejo que os meus desejos de ética, humanidade, afeto e respeito tenham se incorporado ao meu DNA e sejam preservados pelas gerações futuras, devorando os genes fracos da intolerância e do ódio.

XV Desejo ser uma velha bem-humorada, cercada de netos que tenham prazer em me contar as novidades do mundo e em escutar as histórias, as poesias e as músicas que eu quiser contar e cantar.

XVI Por fim, desejo não morrer. E desejo que não morram os que amo. Por óbvio, é um desejo impossível, mas o que seria dos desejos não fosse a nossa capacidade de sonhar com o que não existe?

Certifico, por fim, e dou fé, que, enquanto a velhice chega de mansinho, eu, Andréa Pachá, assino este termo como um compromisso de me lembrar dos meus desejos todos os dias.

Para depois do depois

Freud e Rilke passeiam por um jardim quando encontram uma flor rara, de beleza impactante. Após alguns segundos de contemplação, Rilke, melancólico, constata:

– Uma pena. Tão linda e vai durar tão pouco. Amanhã não estará mais aqui.

No que Freud o interrompe:

– Tão breve e, por isso, tão linda.

O encontro delicado do médico e do poeta ficou no passado. A flor e a conversa entraram para a história e, depois de tantos anos, chegaram a mim contadas por Sandra Flanzer, psicóloga e amiga querida, ao comentar as ações do tempo e a finitude da vida.

O permanente paradoxo entre intensidade e finitude também latejou por dias a fio na minha cabeça, mesmo depois de ver os créditos correndo na tela do cinema. O silêncio devastador do filme Amor (2012), dirigido por Michael Haneke, não me deixava voltar à normalidade. Era como um anúncio insistente: há fim. Há doença. Há velhice. Não tem escapatória.

George e Anne não formavam um casal comum. Amantes das artes, da música, das conversas intermináveis, amavam-se – como idealizamos que devem se amar os casais. Gentis, cuidadosos, cúmplices, mesmo depois dos 80 anos encontravam motivos para se surpreender com histórias e memórias compartilhadas.

Quando ela sofre um derrame, é confinada no apartamento sob os cuidados do marido. Toda a trama acontece nesse espaço. Ali, o casal octogenário revela a ação do tempo e o desgaste dos corpos e das almas. O amor concreto se traduz no cuidado concreto. Sem pieguice, as ações dramáticas são intensas. Como a doença que se abate sobre a mulher. Não tem acerto de contas. Não tem reavaliação da vida. Não tem projetos, planos nem ressentimentos.

Atribui-se a Nietzsche a afirmação de que, para se avaliar a possibilidade de um casamento, as pessoas deveriam se perguntar se terão prazer em conversar um com o outro até a velhice, concluindo que todos os demais prazeres são transitórios. O casal de Amor sabia disso. Enquanto foi possível, conversaram prazerosamente. Amor e vida acabaram quando não havia mais interlocução.

* * *

Quando comecei a lidar com a velhice, no trabalho e na vida, eu me entristecia, como Rilke, lamentando nossa fugacidade e finitude. Paralisava, como se estivesse revendo Amor, com a alma trincada e incapaz de chorar. Foi Cícero, estadista e pensador romano que morreu 43 anos antes de Cristo, quem me socorreu. A literatura tem esse poder. Diz ele: "A natureza fixa os limites convenientes da vida como de qualquer outra coisa. Quanto à velhice, em suma, ela é a cena final dessa peça que constitui a existência." Cícero tem razão. Cada momento da vida tem seu tempo natural. O impacto dos avanços humanitários e das tecnologias conseguiu mudar muita coisa, exceto o fim. Ao menos até aqui, nascemos datados e com prazos de validade distintos, individuais e secretos.

Velhice e morte não deveriam ser assuntos interditados nem silenciados nas conversas. Poucos eventos são tão libertadores quanto aqueles em que, dando nomes às coisas e aos sentimentos, materializamos os medos e sepultamos os fantasmas. Não dá azar falar de doença. Muito menos falar de morte ou de velhice. São, como já apontava o filósofo, coisas naturais da vida que devem ser apreciadas cada uma a seu tempo.

Aos poucos e, sem qualquer programação, iniciei uma conversa cotidiana com Cícero. Tentei compreender os conflitos que brotavam do envelhecimento. No seu gigante livrinho *Saber envelhecer*, ele mapeia quatro razões possíveis para se achar a velhice detestável: o afastamento da vida ativa, o enfraquecimento do corpo, a privação dos melhores prazeres e a aproximação da morte. Com alguns ajustes, decorrentes das transformações tecnológicas e da rapidez com que o conhecimento e a política têm se modificado, e levando em conta que o tempo de vida aumentou, reunindo na velhice mais de uma geração, passados mais de dois mil anos da obra de Cícero seguimos enfrentando, senão os mesmos obstáculos, outros muito próximos daqueles.

O afastamento da vida ativa era combatido por Cícero com vigor. Era na velhice que sobrava sabedoria, clarividência, discernimento, qualidades fundamentais – dizia ele – para a participação efetiva na vida pública.

O filósofo italiano Norberto Bobbio, ao escrever sobre a velhice, afirmou que o velho sabe por experiência o que os outros ainda não sabem e precisam aprender com ele, seja na esfera da ética, seja na de costumes, seja na das técnicas de sobrevivência. Mas o próprio Bobbio constatou como é difícil para os idosos acompanhar as mudanças ao redor. Não por falta de curiosidade em saber mais, mas pela dificuldade em satisfazer tal curiosidade. A verdade é que, mesmo com dificuldade de se atualizar, hoje os velhos continuam participando da vida pública. Mais por serem os responsáveis pelo sustento familiar em grande parte das casas do que por alguma espécie de reconhecimento de sua experiência como um valor. Em muitos casos, são eles os únicos detentores de recursos financeiros, decorrentes da aposentadoria. Tal fato, aliado à visão equivocada que vincula envelhecimento a doença, tem levado à Justiça demandas complexas de interdição, alienação parental, disputa de guarda por avós, casamentos e testamentos entre idosos e cuidadores, como se a vida do velho só fosse permitida por sua condição econômica.

Mas a velhice não é só dessa geração de idosos que permanece na vida pública por questões financeiras – é, também, de uma outra geração que na juventude revolucionou comportamentos e costumes. Se, depois de certa idade, muitos desistem de mudar de opinião e veem a inovação com desconfiança, os também velhos e outrora transformadores e revolucionários podem voltar a protagonizar a vida pública, legando para as novas gerações informações de afeto, generosidade, solidariedade e liberdade.

A velhice não acontece da mesma forma para todos. As condições de vida, a genética e – por que não dizer?– a sorte são fatores determinantes para o envelhecimento. Qualquer que seja o contexto e quaisquer que sejam as condições, a ação do tempo chega ao corpo, e o processo de enfraquecimento se impõe. Para Cícero, "a vida segue um curso muito preciso, e a natureza dota cada idade de qualidades próprias. Por isso a fraqueza das crianças, o ímpeto dos jovens, a seriedade dos adultos e a maturidade dos velhos são coisas naturais que devemos apreciar cada uma em seu tempo". A ação do tempo sobre o corpo pode ser vivenciada de muitas formas, daí porque existem velhos resignados, amáveis, melancólicos, inquietos, serenos ou insatisfeitos.

Bobbio percebeu que envelhecia quando já não conseguia se imaginar voltando a um lugar onde estivera. Era como se, a cada dia, se despedisse um pouco da vida. De fato, despedimo-nos da vida a cada segundo, mas é na velhice que a consciência sobre essa realidade aparece de forma mais presente. Há os que aceitam passivamente e se resignam ante a inevitável ação do tempo; há os que a camuflam, imaginando que as máscaras de juventude eterna podem impedi-la; há os que se revoltam e, num esforço contínuo, como o de Sísifo, insistem em continuar carregando a pedra montanha acima, mesmo sabedores do fracasso da empreitada; há os que se recolhem e silenciam; outros que se alienam voluntariamente; além daqueles que escolhem a indiferença.

Se Cícero assimilou o enfraquecimento do corpo, não desconsiderou a parte mais importante da autonomia: a saúde da mente. "Não basta estar atento ao corpo; é preciso ainda mais ocupar-se do espírito e da alma." Como o resto do corpo, o cérebro pode sofrer com a inescapável decadência. A memória é tão essencial para a vida quanto a mobilidade e o funcionamento cardíaco e vascular. Há um determinado momento em que as lembranças passam a integrar a vida no presente, de maneira preponderante. Não com gosto de ressentimento ou estagnação, mas como matéria viva da alma.

Somos feitos de carne, osso, paixões e memórias. Os amores devastadores, as dores definitivas e sepultadas, os vínculos e os afetos, os ódios, as amizades, as histórias se entranham nos músculos e nos definem em humanidade. O que somos quando não mais conseguimos lembrar? É verdade, diz Bobbio, que "o mundo dos velhos, de todos os velhos, de modo mais ou menos intenso, é o mundo da memória. A dimensão para a qual se vive é o passado. Percorremos de novo o mesmo caminho com outros olhos e a melancolia é suavizada pela constância dos afetos que o tempo não consumiu". Se somos um baú de histórias com a capacidade de armazenar e se compreendemos que a fragilidade chega com ou sem nossa aquiescência, podemos, ao menos, nos preparar para que nossos desejos sejam respeitados quando essa hora chegar.

Uma das experiências mais tristes, em processos de curatela, quando os velhos perdem a memória, é a constatação de que não se morre apenas quando o coração para de bater, mas quando se é apropriado, ainda respirando, por pessoas que desconsideram o passado e o respeito que uma vida merece. Sim, há inescrupulosos que ficam à espreita para se beneficiar dos que têm sorte de envelhecer. Compreender o envelhecimento como um processo natural pode nos auxi-

liar a preparar um testamento, uma diretiva antecipada de vontade, manifestando desejos que devem ser respeitados por aqueles que cuidam de nós, legando o patrimônio, afirmando a quais tratamentos interventivos queremos nos submeter, positivando o destino dos nossos órgãos ou a possibilidade de cremação do nosso corpo, para que nossa autonomia não acabe antes do fim.

Entendi a importância de ser cuidadosa com as escolhas ao longo da vida. O que sobra no baú são as memórias e os afetos que conseguimos acumular. Diante da fragilidade do corpo, e especialmente do cérebro, mesmo quando o esquecimento chegar, continuaremos flanando pelas lembranças e olhares daqueles que tivermos amado e escolhido para amar e conviver.

Nem só de memória vivem os velhos, mas também de prazer. Cícero, escrevendo do seu tempo e distante das descobertas da indústria farmacêutica, banaliza o desejo viril e a frivolidade juvenil. Como a raposa diante das uvas que não consegue alcançar, pontifica: "Por que falar tanto do prazer? Não se sofre por ser privado daquilo que não se tem saudade." Para ele, sem o prazer sexual não havia desejo e, consequentemente, não havia frustração. Logo, era preferível não desejar.

A velhice pode nos aproximar dos maiores prazeres, a depender dos desejos que estivermos dispostos a experimentar, inclusive dos desejos de viver novas paixões. Não podemos desconsiderar a capacidade de desejar dos velhos.

Muitos preferem o turbilhão ao silêncio. Estimulados e encorajados por novos tempos e pelo fim de inúmeros preconceitos, começam a experimentar novos afetos. Os efeitos provocados pelo Viagra podem ser percebidos em inúmeros processos de divórcio tardios, nos novos desenhos dos mosaicos familiares e no direito de assumir a sexualidade de forma mais conveniente e livre.

Se, por um lado, os homens, revigorados pela potência sexual, renascem em projetos, inclusive de paternidades tardias, por outro, o machismo histórico mais uma vez provoca devastação. Como garantir o envelhecimento desejante de mulheres que se dedicaram exclusivamente ao casamento e à família e que são comunicadas pelo marido do fim do amor e do divórcio sem qualquer possibilidade de se contrapor ao pedido?

É verdade que também as mulheres mais velhas têm se relacionado com pessoas mais jovens. No entanto, além do preconceito ainda prevalente na sociedade, grande parte dessas mulheres – inclusive as que experimentaram a liberdade na juventude e transitam pelo tempo com intensidade e paixão – precisa aprender a lidar com a solidão e o abandono. As submissas aos homens costumam ser mais facilmente manipuladas por carência ou ignorância, tornando-se vítimas da má-fé alheia.

Finalmente, a aproximação da morte, um dos fatores que tornariam a velhice detestável, é naturalizada por Cícero: "A velhice! A maneira mais bela de morrer é com a inteligência intacta e os sentidos despertos deixando a natureza desfazer lentamente o que ela fez. Os velhos não devem se apegar desesperadamente nem renunciar sem razão ao pouco de vida que lhes resta. Em geral, parece-me, perdemos o apetite de viver quando nossas paixões são saciadas. Devem os adolescentes lamentar a perda do que adoravam quando crianças?

E poderiam os homens maduros ter saudade do que amavam quando adolescentes? Também eles têm seus gostos, que não são os dos velhos. A velhice, enfim, tem suas inclinações próprias. E estas, por sua vez, desvanecem como desapareceram as das idades precedentes. Quando esse momento chega, a saciedade que sentimos nos prepara naturalmente para a proximidade da morte."

Se existe um fato da vida para o qual deveríamos nascer preparados, esse fato é a morte. Se a nós não é dado o direito de saber quando e como partiremos, deveríamos nos preparar enquanto temos autonomia. Quantos conflitos poderiam ser evitados com um testamento? Quanto sofrimento poderíamos poupar àqueles a quem amamos se nos preparássemos para um fim que virá inexoravelmente?

Vivemos tempos de felicidade obrigatória, de negação de fragilidades e de recusa à finitude que nos constitui. Deixar de refletir sobre nossa condição humana, transitória e com data de validade, não nos torna imortais.

Cícero naturaliza a morte e a enxerga com tranquilidade. Pode ser apenas um artifício para aplacar a angústia dos que esperavam dele algum alento. É o que também tenta fazer Bobbio, mas de um jeito mais realista: "Da minha morte só os outros podem falar. Posso contar minha vida através das recordações minhas e daqueles que me foram próximos, mediante documentos, cartas e diários. Posso contá-la até os últimos minutos. Não posso contar minha morte. Só os outros podem fazê-lo."

Pessoalmente, sou contra a morte. A minha e, mais ainda, a daqueles que amo. Penso que é importante, entretanto, enfrentar os problemas que surgem com a passagem dos anos, projetar os desejos e os sonhos enquanto temos lucidez. São instrumentos que têm me auxiliado a encarar o fim, a compreender nossa limitação e afirmar a autonomia possível, para não ficarmos reféns dos desejos alheios.

Nem sempre teremos sucesso nesse projeto. É provável que sejamos vencidos pela impotência quando já não pudermos opinar. Nessas horas, o melhor é ouvir Gilberto Gil: "... a morte já é depois/ já não haverá ninguém/ como eu aqui agora/ pensando sobre o além/ já não haverá o além/ o além já será então/ já não terei pé nem cabeça/ nem fígado, nem pulmão/ como poderei ter medo/ se não terei coração?"

Se é a vida o que nos interessa, atentemos ao que diz, uma vez mais, Cícero: "É ao caráter de cada um, e não à velhice propriamente, que devemos imputar todas as lamentações. Os velhos inteligentes, agradáveis e divertidos suportam facilmente a velhice, ao passo que a acrimônia, o temperamento triste e a rabugice são deploráveis em qualquer idade."

Nas relações pessoais e afetivas, os amores não são planos, as famílias não são idênticas, as felicidades e infelicidades se alternam constantemente. O mesmo acontece na velhice e na morte. A vida não é justa no início, no meio e muito menos no final.

Longe de me entristecer, negar ou viver em luto antecipado, trabalhando com o Direito entendi que era essencial fazer um pacto com a cultura e o afeto, saberes que, como a justiça, nascem da raiz da humanidade. É assim que tenho entendido a estupenda experiência de me sentir humana. É assim que tenho me encantado com a potência e com a intensidade dos nossos desejos, nossas paixões e nossos projetos, apesar da doença, da velhice e da morte.

Freud, mais uma vez, estava certo. É a brevidade da vida o que a torna encantadora.

1ª edição	OUTUBRO DE 2018
reimpressão	MAIO DE 2025
impressão	LIS GRÁFICA
papel de miolo	PÓLEN NATURAL 80 G/M²
papel de capa	CARTÃO SUPREMO ALTA ALVURA 250 G/M²
tipografia	ACTA & PITCH